FRIEDRICH SCHILLER

Don Carlos, *1787*
Infant von Spanien

EIN DRAMATISCHES GEDICHT

PHILIPP RECLAM JUN. STUTTGART

Der Text folgt: Schillers Sämtliche Werke. Säkular-Ausgabe. Vierter Band. Herausgegeben von Richard Weißenfels. Stuttgart/Berlin: J. G. Cotta, [1904]. – Die Orthographie wurde behutsam dem heutigen Gebrauch angeglichen.

Erläuterungen und Dokumente zu Schiller »Don Carlos« liegen unter Nr. 8120 [3] in Reclams Universal-Bibliothek vor.

Universal-Bibliothek Nr. 38 [2]
ISBN 3-15-000038-6

PERSONEN

Philipp der Zweite, *König von Spanien*
Elisabeth von Valois, *seine Gemahlin*
Don Carlos, *der Kronprinz*
Alexander Farnese, *Prinz von Parma, Neffe des Königs*
Infantin Clara Eugenia, *ein Kind von drei Jahren*
Herzogin von Olivarez, *Oberhofmeisterin*
Marquisin von Mondecar ⎫
Prinzessin von Eboli ⎬ *Damen der Königin*
Gräfin Fuentes ⎭
Marquis von Posa, *ein Malteserritter* ⎫
Herzog von Alba ⎪
Graf von Lerma, *Oberster der Leibwache* ⎬ *Granden*
Herzog von Feria, *Ritter des Vlieses* ⎪ *von*
Herzog von Medina Sidonia, *Admiral* ⎪ *Spanien*
Don Raimond von Taxis, *Oberpostmeister* ⎭
Domingo, *Beichtvater des Königs*
Der Großinquisitor *des Königreichs*
Der Prior *eines Kartäuserklosters*
Ein Page *der Königin*
Don Ludwig Mercado, *Leibarzt der Königin*

Mehrere Damen und Granden, Pagen, Offiziere, die
Leibwache und verschiedene stumme Personen

ERSTER AKT

Der königliche Garten in Aranjuez.

ERSTER AUFTRITT

Carlos. Domingo.

D o m i n g o. Die schönen Tage in Aranjuez
Sind nun zu Ende. Eure Königliche Hoheit
Verlassen es nicht heiterer. Wir sind
Vergebens hier gewesen. Brechen Sie
Dies rätselhafte Schweigen. Öffnen Sie
Ihr Herz dem Vaterherzen, Prinz. Zu teuer
Kann der Monarch die Ruhe seines Sohns –
Des einz'gen Sohns – zu teuer nie erkaufen.
        (Carlos sieht zur Erde und schweigt.)
Wär' noch ein Wunsch zurücke, den der Himmel
Dem liebsten seiner Söhne weigerte?   10
Ich stand dabei, als in Toledos Mauern
Der stolze Karl die Huldigung empfing,
Als Fürsten sich zu seinem Handkuß drängten
Und jetzt in *einem – einem* Niederfall
Sechs Königreiche ihm zu Füßen lagen –
Ich stand und sah das junge stolze Blut
In seine Wangen steigen, seinen Busen
Von fürstlichen Entschlüssen wallen, sah
Sein trunknes Aug' durch die Versammlung fliegen,
In Wonne brechen – Prinz, und dieses Auge   20
Gestand: ich bin gesättigt. *(Carlos wendet sich weg.)*
        Dieser stille
Und feierliche Kummer, Prinz, den wir
Acht Monde schon in Ihren Blicken lesen,
Das Rätsel dieses ganzen Hofs, die Angst
Des Königreichs, hat Seiner Majestät
Schon manche sorgenvolle Nacht gekostet,
Schon manche Träne Ihrer Mutter.
C a r l o s *(dreht sich rasch um).*   Mutter?
– O Himmel, gib, daß ich es dem vergesse,
Der sie zu meiner Mutter machte!

D o m i n g o.   Prinz?
C a r l o s *(besinnt sich und fährt mit der Hand über die
   Stirne).* Hochwürd'ger Herr – ich habe sehr viel Unglück
   Mit meinen Müttern. Meine erste Handlung,   31
   Als ich das Licht der Welt erblickte, war
   Ein Muttermord.
D o m i n g o.   Ist's möglich, gnäd'ger Prinz?
   Kann dieser Vorwurf Ihr Gewissen drücken?
C a r l o s. Und meine neue Mutter – hat sie mir
   Nicht meines Vaters Liebe schon gekostet?
   Mein Vater hat mich kaum geliebt. Mein ganzes
   Verdienst war noch, sein Einziger zu sein.
   Sie gab ihm eine Tochter – O wer weiß,
   Was in der Zeiten Hintergrunde schlummert?   40
D o m i n g o. Sie spotten meiner, Prinz. Ganz Spanien
   Vergöttert seine Königin – Sie sollten
   Nur mit des Hasses Augen sie betrachten?
   Bei ihrem Anblick nur die Klugheit hören?
   Wie, Prinz? Die schönste Frau auf dieser Welt –
   Und Königin – und ehmals Ihre Braut?
   Unmöglich, Prinz! Unglaublich! Nimmermehr!
   Wo alles liebt, kann Karl allein nicht hassen;
   So seltsam widerspricht sich Carlos nicht.
   Verwahren Sie sich, Prinz, daß sie es nie,   50
   Wie sehr sie ihrem Sohn mißfällt, erfahre;
   Die Nachricht würde schmerzen.
C a r l o s.   Glauben Sie?
D o m i n g o. Wenn Eure Hoheit sich des letzteren
   Turniers zu Saragossa noch entsinnen,
   Wo unsern Herrn ein Lanzensplitter streifte –
   Die Königin mit ihren Damen saß
   Auf des Palastes mittlerer Tribüne
   Und sah dem Kampfe zu. Auf einmal rief's:
   »Der König blutet!« – Man rennt durcheinander,
   Ein dumpfes Murmeln dringt bis zu dem Ohr   60
   Der Königin. »Der Prinz?« ruft sie und will –
   Und will sich von dem obersten Geländer
   Herunterwerfen. – »Nein! Der König selbst!«
   Gibt man zur Antwort – »So laßt Ärzte holen!«
   Erwidert sie, indem sie Atem schöpfte.
   (Nach einigem Stillschweigen.)
   Sie stehen in Gedanken?

Carlos.   Ich bewundre
Des Königs lust'gen Beichtiger, der so
Bewandert ist in witzigen Geschichten.
(Ernsthaft und finster.)
Doch hab ich immer sagen hören, daß
Gebärdenspäher und Geschichtenträger   70
Des Übels mehr auf dieser Welt getan,
Als Gift und Dolch in Mörders Hand nicht konnten.
Die Mühe, Herr, war zu ersparen. Wenn
Sie Dank erwarten, gehen Sie zum König.
Domingo. Sie tun sehr wohl, mein Prinz, sich vorzusehn
Mit Menschen – nur mit Unterscheidung. Stoßen
Sie mit dem Heuchler nicht den Freund zurück.
Ich mein es gut mit Ihnen.
Carlos.   Lassen Sie
Das meinen Vater ja nicht merken. Sonst
Sind Sie um Ihren Purpur.
Domingo *(stutzt).*   Wie?
Carlos.   Nun ja.   80
Versprach er Ihnen nicht den ersten Purpur,
Den Spanien vergeben würde?
Domingo.   Prinz,
Sie spotten meiner.
Carlos.   Das verhüte Gott,
Daß ich des fürchterlichen Mannes spotte,
Der meinen Vater seligsprechen und
Verdammen kann!
Domingo.   Ich will mich nicht
Vermessen, Prinz, in das ehrwürdige
Geheimnis Ihres Kummers einzudringen.
Nur bitt ich Eure Hoheit, eingedenk
Zu sein, daß dem beängstigten Gewissen   90
Die Kirche eine Zuflucht aufgetan,
Wozu Monarchen keinen Schlüssel haben,
Wo selber Missetaten unterm Siegel
Des Sakramentes aufgehoben liegen –
Sie wissen, was ich meine, Prinz – ich habe
Genug gesagt.
Carlos.   Nein! Das sei fern von mir,
Daß ich den Siegelführer so versuchte!
Domingo. Prinz, dieses Mißtraun – Sie verkennen Ihren
Getreusten Diener.

Carlos *(faßt ihn bei der Hand).*   Also geben Sie
  Mich lieber auf. Sie sind ein heil'ger Mann,   100
  Das weiß die Welt – doch frei heraus – für mich
  Sind Sie bereits zu überhäuft. Ihr Weg,
  Hochwürd'ger Vater, ist der weiteste,
  Bis Sie auf Peters Stuhle niedersitzen.
  Viel Wissen möchte Sie beschweren. Melden
  Sie das dem König, der Sie hergesandt.
Domingo. Mich hergesandt –
Carlos.   So sagt' ich. O zu gut,
  Zu gut weiß ich, daß ich an diesem Hof
  Verraten bin – ich weiß, daß hundert Augen
  Gedungen sind, mich zu bewachen, weiß,   110
  Daß König Philipp seinen einz'gen Sohn
  An seiner Knechte schlechtesten verkaufte
  Und jede von mir aufgefangne Silbe
  Dem Hinterbringer fürstlicher bezahlt,
  Als er noch keine gute Tat bezahlte.
  Ich weiß – O still! Nichts mehr davon. Mein Herz
  Will überströmen, und ich habe schon
  Zu viel gesagt.
Domingo.   Der König ist gesonnen,
  Vor Abend in Madrid noch einzutreffen.
  Bereits versammelt sich der Hof. Hab ich   120
  Die Gnade, Prinz –
Carlos.   Schon gut. Ich werde folgen.
    (Domingo geht ab. Nach einem Stillschweigen.)
  Beweinenswerter Philipp, wie dein Sohn
  Beweinenswert! – Schon seh ich deine Seele
  Vom gift'gen Schlangenbiß des Argwohns bluten,
  Dein unglücksel'ger Vorwitz übereilt
  Die fürchterlichste der Entdeckungen,
  Und rasen wirst du, wenn du sie gemacht.

ZWEITER AUFTRITT

Carlos. Marquis von Posa.

Carlos.
  Wer kommt? – Was seh ich! O ihr guten Geister!
  Mein Roderich!
Marquis.   Mein Carlos!
Carlos.   Ist es möglich?

Ist's wahr? Ist's wirklich? Bist du's? – Oh, du bist's! 130
Ich drück an meine Seele dich, ich fühle
Die deinige allmächtig an mir schlagen.
Oh, jetzt ist alles wieder gut. In dieser
Umarmung heilt mein krankes Herz. Ich liege
Am Halse meines Roderich.

Marquis.   Ihr krankes –
Ihr krankes Herz? Und was ist wieder gut?
Was ist's, das wieder gut zu werden brauchte?
Sie hören, was mich stutzen macht.

Carlos.   Und was
Bringt dich so unverhofft aus Brüssel wieder?
Wem dank ich diese Überraschung? Wem? 140
Ich frage noch? Verzeih dem Freudetrunknen,
Erhabne Vorsicht, diese Lästerung!
Wem sonst als dir, Allgütigste? Du wußtest,
Daß Carlos ohne Engel war, du sandtest
Mir diesen, und ich frage noch!

Marquis.   Vergebung,
Mein teurer Prinz, wenn ich dies stürmische
Entzücken mit Bestürzung nur erwidre.
So war es nicht, wie ich Don Philipps Sohn
Erwartete. Ein unnatürlich Rot
Entzündet sich auf Ihren blassen Wangen, 150
Und Ihre Lippen zittern fieberhaft.
Was muß ich glauben, teurer Prinz? – Das ist
Der löwenkühne Jüngling nicht, zu dem
Ein unterdrücktes Heldenvolk mich sendet –
Denn jetzt steh ich als Roderich nicht hier,
Nicht als des Knaben Carlos Spielgeselle –
Ein Abgeordneter der ganzen Menschheit
Umarm ich Sie – es sind die flandrischen
Provinzen, die an Ihrem Halse weinen
Und feierlich um Rettung Sie bestürmen. 160
Getan ist's um Ihr teures Land, wenn Alba,
Des Fanatismus rauher Henkersknecht,
Vor Brüssel rückt mit spanischen Gesetzen.
Auf Kaiser Karls glorwürd'gem Enkel ruht
Die letzte Hoffnung dieser edeln Lande.
Sie stürzt dahin, wenn sein erhabnes Herz
Vergessen hat, für Menschlichkeit zu schlagen.

Carlos. Sie stürzt dahin.

Marquis.   Weh mir! Was muß ich hören!
Carlos. Du sprichst von Zeiten, die vergangen sind.
  Auch mir hat einst von einem Karl geträumt,   170
  Dem's feurig durch die Wangen lief, wenn man
  Von Freiheit sprach – doch der ist lang begraben.
  Den du hier siehst, das ist der Karl nicht mehr,
  Der in Alcala von dir Abschied nahm,
  Der sich vermaß in süßer Trunkenheit,
  Der Schöpfer eines neuen goldnen Alters
  In Spanien zu werden – Oh, der Einfall
  War kindisch, aber göttlich schön. Vorbei
  Sind diese Träume. –
Marquis.   Träume, Prinz – So wären
  Es Träume nur gewesen?
Carlos.   Laß mich weinen,   180
  An deinem Herzen heiße Tränen weinen,
  Du einz'ger Freund. Ich habe niemand – niemand –
  Auf dieser großen, weiten Erde niemand.
  So weit das Zepter meines Vaters reicht,
  So weit die Schiffahrt unsre Flaggen sendet,
  Ist keine Stelle – keine – keine, wo
  Ich meiner Tränen mich entlasten darf,
  Als diese. O bei allem, Roderich,
  Was du und ich dereinst vom Himmel hoffen,
  Verjage mich von dieser Stelle nicht.   190
Marquis *(neigt sich über ihn in sprachloser Rührung)*.
Carlos. Berede dich, ich wär' ein Waisenkind,
  Das du am Thron mitleidig aufgelesen.
  Ich weiß ja nicht, was Vater heißt – ich bin
  Ein Königssohn – Oh, wenn es eintrifft, was
  Mein Herz mir sagt, wenn du aus Millionen
  Herausgefunden bist, mich zu verstehn,
  Wenn's wahr ist, daß die schaffende Natur
  Den Roderich im Carlos wiederholte
  Und unsrer Seelen zartes Saitenspiel
  Am Morgen unsres Lebens gleich bezog,   200
  Wenn eine Träne, die mir Lindrung gibt,
  Dir teurer ist als meines Vaters Gnade –
Marquis. O teurer als die ganze Welt.
Carlos.   So tief
  Bin ich gefallen – bin so arm geworden,
  Daß ich an unsre frühen Kinderjahre

Dich mahnen muß – daß ich dich bitten muß,
Die lang vergeßnen Schulden abzutragen,
Die du noch im Matrosenkleide machtest –
Als du und ich, zween Knaben wilder Art,
So brüderlich zusammen aufgewachsen,   210
Kein Schmerz mich drückte, als von deinem Geiste
So sehr verdunkelt mich zu sehn – ich endlich
Mich kühn entschloß, dich grenzenlos zu lieben,
Weil mich der Mut verließ, dir gleich zu sein.
Da fing ich an, mit tausend Zärtlichkeiten
Und treuer Bruderliebe dich zu quälen;
Du, stolzes Herz, gabst sie mir kalt zurück.
Oft stand ich da, und – doch das sahst du nie –
Und heiße, schwere Tränentropfen hingen
In meinem Aug', wenn du, mich überhüpfend,   220
Geringre Kinder in die Arme drücktest.
Warum nur diese? rief ich trauernd aus:
Bin *ich* dir nicht auch herzlich gut? – Du aber,
Du knietest kalt und ernsthaft vor mir nieder:
Das, sagtest du, gebührt dem Königssohn.
M a r q u i s. O stille, Prinz, von diesen kindischen
Geschichten, die mich jetzt noch schamrot machen.
C a r l o s.
Ich hatt' es nicht um dich verdient. Verschmähen,
Zerreißen konntest du mein Herz, doch nie
Von dir entfernen. Dreimal wiesest du   230
Den Fürsten von dir, dreimal kam er wieder
Als Bittender, um Liebe dich zu flehn
Und dir gewaltsam Liebe aufzudringen.
Ein Zufall tat, was Carlos nie gekonnt.
Einmal geschah's bei unsern Spielen, daß
Der Königin von Böhmen, meiner Tante,
Dein Federball ins Auge flog. Sie glaubte,
Daß es mit Vorbedacht geschehn, und klagt' es
Dem Könige mit tränendem Gesicht.
Die ganze Jugend des Palastes muß   240
Erscheinen, ihm den Schuldigen zu nennen.
Der König schwört, die hinterlist'ge Tat,
Und wär' es auch an seinem eignen Kinde,
Aufs schrecklichste zu ahnden. – Damals sah ich
Dich zitternd in der Ferne stehn, und jetzt,
Jetzt trat ich vor und warf mich zu den Füßen

Des Königs. Ich, ich tat es, rief ich aus:
An deinem Sohn erfülle deine Rache.

Marquis. Ach, woran mahnen Sie mich, Prinz!

Carlos.   Sie ward's:
Im Angesicht des ganzen Hofgesindes,   250
Das mitleidsvoll im Kreise stand, ward sie
Auf Sklavenart an deinem Karl vollzogen.
Ich sah auf dich und weinte nicht. Der Schmerz
Schlug meine Zähne knirschend aneinander;
Ich weinte nicht. Mein königliches Blut
Floß schändlich unter unbarmherz'gen Streichen;
Ich sah auf dich und weinte nicht – Du kamst;
Laut weinend sankst du mir zu Füßen. Ja!
Ja, riefst du aus, mein Stolz ist überwunden.
Ich will bezahlen, wenn du König bist.   260

Marquis *(reicht ihm die Hand).*
Ich will es, Karl. Das kindische Gelübde
Erneur' ich jetzt als Mann. Ich will bezahlen.
Auch meine Stunde schlägt vielleicht.

Carlos.   Jetzt, jetzt –
O zögre nicht – jetzt hat sie ja geschlagen.
Die Zeit ist da, wo du es lösen kannst.
Ich brauche Liebe. – Ein entsetzliches
Geheimnis brennt auf meiner Brust. Es soll –
Es soll heraus. In deinen blassen Mienen
Will ich das Urteil meines Todes lesen.
Hör an – erstarre – doch erwidre nichts –   270
Ich liebe meine Mutter.

Marquis.   O mein Gott!

Carlos. Nein! Diese Schonung will ich nicht. Sprich's aus,
Sprich, daß auf diesem großen Rund der Erde
Kein Elend an das meine grenze – sprich –
Was du mir sagen kannst, errat ich schon.
Der Sohn liebt seine Mutter. Weltgebräuche,
Die Ordnung der Natur und Roms Gesetze
Verdammen diese Leidenschaft. Mein Anspruch
Stößt fürchterlich auf meines Vaters Rechte.
Ich fühl's, und dennoch lieb ich. Dieser Weg   280
Führt nur zu Wahnsinn oder Blutgerüste.
Ich liebe ohne Hoffnung – lasterhaft –
Mit Todesangst und mit Gefahr des Lebens –
Das seh ich ja, und dennoch lieb ich.

Marquis.   Weiß
  Die Königin um diese Neigung?
Carlos.   Konnt' ich
  Mich ihr entdecken? Sie ist Philipps Frau
  Und Königin, und das ist span'scher Boden.
  Von meines Vaters Eifersucht bewacht,
  Von Etikette ringsum eingeschlossen,
  Wie konnt' ich ohne Zeugen mich ihr nahn?   290
  Acht höllenbange Monde sind es schon,
  Daß von der hohen Schule mich der König
  Zurückberief, daß ich sie täglich anzuschauen
  Verurteilt bin und wie das Grab zu schweigen.
  Acht höllenbange Monde, Roderich,
  Daß dieses Feu'r in meinem Busen wütet,
  Daß tausendmal sich das entsetzliche
  Geständnis schon auf meinen Lippen meldet,
  Doch scheu und feig zurück zum Herzen kriecht.
  O Roderich – nur wen'ge Augenblicke   300
  Allein mit ihr –
Marquis.   Ach! Und Ihr Vater, Prinz –
Carlos.
  Unglücklicher! Warum an den mich mahnen?
  Sprich mir von allen Schrecken des Gewissens;
  Von meinem Vater sprich mir nicht.
Marquis. Sie hassen Ihren Vater!
Carlos.   Nein! Ach nein!
  Ich hasse meinen Vater nicht – doch Schauer
  Und Missetäters Bangigkeit ergreifen
  Bei diesem fürchterlichen Namen mich.
  Kann ich dafür, wenn eine knechtische
  Erziehung schon in meinem jungen Herzen   310
  Der Liebe zarten Keim zertrat? – Sechs Jahre
  Hatt' ich gelebt, als mir zum erstenmal
  Der Fürchterliche, der, wie sie mir sagten,
  Mein Vater war, vor Augen kam. Es war
  An einem Morgen, wo er stehnden Fußes
  Vier Bluturteile unterschrieb. Nach diesem
  Sah ich ihn nur, wenn mir für ein Vergehn
  Bestrafung angekündigt ward – O Gott!
  Hier fühl ich, daß ich bitter werde – Weg –
  Weg, weg von dieser Stelle.
Marquis.   Nein, Sie sollen –   320

    Jetzt sollen Sie sich öffnen, Prinz. In Worten
    Erleichtert sich der schwer beladne Busen.
Carlos. Oft hab ich mit mir selbst gerungen, oft
    Um Mitternacht, wenn meine Wachen schliefen,
    Mit heißen Tränengüssen vor das Bild
    Der Hochgebenedeiten mich geworfen,
    Sie um ein kindlich Herz gefleht – doch ohne
    Erhörung stand ich auf. Ach Roderich!
    Enthülle du dies wunderbare Rätsel
    Der Vorsicht mir – Warum von tausend Vätern   330
    Just ebendiesen Vater mir? Und ihm
    Just diesen Sohn von tausend bessern Söhnen?
    Zwei unverträglichere Gegenteile
    Fand die Natur in ihrem Umkreis nicht.
    Wie mochte sie die beiden letzten Enden
    Des menschlichen Geschlechtes – mich und ihn –
    Durch ein so heilig Band zusammenzwingen?
    Furchtbares Los! Warum mußt' es geschehn?
    Warum zwei Menschen, die sich ewig meiden,
    In *einem* Wunsche schrecklich sich begegnen?   340
    Hier, Roderich, siehst du zwei feindliche
    Gestirne, die im ganzen Lauf der Zeiten
    Ein einzigmal in scheitelrechter Bahn
    Zerschmetternd sich berühren, dann auf immer
    Und ewig auseinanderfliehn.
Marquis.   Mir ahnet
    Ein unglücksvoller Augenblick.
Carlos.   Mir selbst.
    Wie Furien des Abgrunds folgen mir
    Die schauerlichsten Träume. Zweifelnd ringt
    Mein guter Geist mit gräßlichen Entwürfen;
    Durch labyrinthische Sophismen kriecht   350
    Mein unglücksel'ger Scharfsinn, bis er endlich
    Vor eines Abgrunds gähem Rande stutzt –
    O Roderich, wenn ich den Vater je
    In ihm verlernte – Roderich – ich sehe,
    Dein totenblasser Blick hat mich verstanden –
    Wenn ich den Vater je in ihm verlernte,
    Was würde mir der König sein?
Marquis *(nach einigem Stillschweigen)*.   Darf ich
    An meinen Carlos eine Bitte wagen?
    Was Sie auch willens sind zu tun, versprechen Sie

Nichts ohne Ihren Freund zu unternehmen.   360
Versprechen Sie mir dieses?

Carlos.   Alles, alles,
Was deine Liebe mir gebeut. Ich werfe
Mich ganz in deine Arme.

Marquis.   Wie man sagt,
Will der Monarch zur Stadt zurückkehren.
Die Zeit ist kurz. Wenn Sie die Königin
Geheim zu sprechen wünschen, kann es nirgends
Als in Aranjuez geschehn. Die Stille
Des Orts – des Landes ungezwungne Sitte
Begünstigen –

Carlos.   Das war auch meine Hoffnung.
Doch ach, sie war vergebens!

Marquis.   Nicht so ganz.   370
Ich gehe, mich sogleich ihr vorzustellen.
Ist sie in Spanien dieselbe noch,
Die sie vordem an Heinrichs Hof gewesen,
So find ich Offenherzigkeit. Kann ich
In ihren Blicken Carlos' Hoffnung lesen,
Find ich zu dieser Unterredung sie
Gestimmt – sind ihre Damen zu entfernen –

Carlos. Die meisten sind mir zugetan. – Besonders
Die Mondecar hab ich durch ihren Sohn,
Der mir als Page dient, gewonnen.

Marquis.   Desto besser.   380
So sind Sie in der Nähe, Prinz, sogleich
Auf mein gegebnes Zeichen zu erscheinen.

Carlos. Das will ich – will ich – also eile nur.

Marquis. Ich will nun keinen Augenblick verlieren.
Dort also, Prinz, auf Wiedersehn!
        (Beide gehen ab zu verschiedenen Seiten.)

Die Hofhaltung der Königin in Aranjuez.

Eine einfache ländliche Gegend, von einer Allee durchschnit-
ten, vom Landhause der Königin begrenzt.

DRITTER AUFTRITT

Die Königin. Die Herzogin von Olivarez. Die Prinzessin
von Eboli und die Marquisin von Mondecar, welche die
Allee heraufkommen.

K ö n i g i n *(zur Marquisin).*
   Sie will ich um mich haben, Mondecar.
   Die muntern Augen der Prinzessin quälen
   Mich schon den ganzen Morgen. Sehen Sie,
   Kaum weiß sie ihre Freude zu verbergen,
   Weil sie vom Lande Abschied nimmt.
E b o l i.   Ich will es   390
   Nicht leugnen, meine Königin, daß ich
   Madrid mit großen Freuden wiedersehe.
M o n d e c a r. Und Ihro Majestät nicht auch? Sie sollten
   So ungern von Aranjuez sich trennen?
K ö n i g i n. Von – dieser schönen Gegend wenigstens.
   Hier bin ich wie in meiner Welt. Dies Plätzchen
   Hab ich mir längst zum Liebling auserlesen.
   Hier grüßt mich meine ländliche Natur,
   Die Busenfreundin meiner jungen Jahre.
   Hier find ich meine Kinderspiele wieder,   400
   Und meines Frankreichs Lüfte wehen hier.
   Verargen Sie mir's nicht. Uns alle zieht
   Das Herz zum Vaterland.
E b o l i.   Wie einsam aber,
   Wie tot und traurig ist es hier! Man glaubt
   Sich in la Trappe.
K ö n i g i n.   Das Gegenteil vielmehr.
   Tot find ich es nur in Madrid – Doch was
   Spricht unsre Herzogin dazu?
O l i v a r e z.   Ich bin
   Der Meinung, Ihro Majestät, daß es
   So Sitte war, den einen Monat hier,
   Den andern in dem Pardo auszuhalten,   410
   Den Winter in der Residenz, solange
   Es Könige in Spanien gegeben.

K ö n i g i n. Ja, Herzogin, das wissen Sie, mit Ihnen
    Hab ich auf immer mich des Streits begeben.
M o n d e c a r. Und wie lebendig es mit nächstem in
    Madrid sein wird! Zu einem Stiergefechte
    Wird schon die Plaza Mayor zugerichtet,
    Und ein Autodafé hat man uns auch
    Versprochen –
K ö n i g i n.   Uns versprochen! Hör ich das
    Von meiner sanften Mondecar?
M o n d e c a r.   Warum nicht?   420
    Es sind ja Ketzer, die man brennen sieht.
K ö n i g i n. Ich hoffe, meine Eboli denkt anders.
E b o l i. Ich? – Ihro Majestät, ich bitte sehr,
    Für keine schlechtre Christin mich zu halten,
    Als die Marquisin Mondecar.
K ö n i g i n.   Ach! Ich
    Vergesse, wo ich bin – Zu etwas anderm. –
    Vom Lande, glaub ich, sprachen wir. Der Monat
    Ist, deucht mir, auch erstaunlich schnell vorüber.
    Ich habe mir der Freude viel, sehr viel
    Von diesem Aufenthalt versprochen, und   430
    Ich habe nicht gefunden, was ich hoffte.
    Geht es mit jeder Hoffnung so? Ich kann
    Den Wunsch nicht finden, der mir fehlgeschlagen.
O l i v a r e z. Prinzessin Eboli, Sie haben uns
    Noch nicht gesagt, ob Gomez hoffen darf?
    Ob wir Sie bald als seine Braut begrüßen?
K ö n i g i n. Ja! Gut, daß Sie mich mahnen, Herzogin.
    (Zur Prinzessin.)
    Man bittet mich, bei Ihnen fürzusprechen;
    Wie aber kann ich das? Der Mann, den ich
    Mit meiner Eboli belohne, muß   440
    Ein würd'ger Mann sein.
O l i v a r e z.   Ihro Majestät,
    Das ist er, ein sehr würd'ger Mann, ein Mann,
    Den unser gnädigster Monarch bekanntlich
    Mit ihrer königlichen Gunst beehren.
K ö n i g i n. Das wird den Mann sehr glücklich machen – Doch
    Wir wollen wissen, ob er lieben kann
    Und Liebe kann verdienen. – Eboli,
    Das frag ich Sie.

E b o l i *(steht stumm und verwirrt, die Augen zur Erde ge-*
schlagen, endlich fällt sie der Königin zu Füßen).
Großmüt'ge Königin,
Erbarmen *Sie* sich meiner. Lassen Sie –
Um Gottes willen, lassen Sie mich nicht –   450
Nicht aufgeopfert werden.
K ö n i g i n.   Aufgeopfert?
Ich brauche nichts mehr. Stehn Sie auf. Es ist
Ein hartes Schicksal, aufgeopfert werden.
Ich glaube Ihnen. Stehn Sie auf. – Ist es
Schon lang, daß Sie den Grafen ausgeschlagen?
E b o l i *(aufstehend).* O viele Monate. Prinz Carlos war
Noch auf der hohen Schule.
K ö n i g i n *(stutzt und sieht sie mit forschenden Augen an).*
Haben Sie
Sich auch geprüft, aus welchen Gründen?
E b o l i *(mit einiger Heftigkeit).*   Niemals
Kann es geschehen, meine Königin,
Aus tausend Gründen niemals.
K ö n i g i n *(sehr ernsthaft).*   Mehr als einer ist   460
Zu viel. Sie können ihn nicht schätzen – das
Ist mir genug. Nichts mehr davon.
(Zu den andern Damen.)   Ich habe
Ja die Infantin heut noch nicht gesehen.
Marquisin, bringen Sie sie mir.
O l i v a r e z *(sieht auf die Uhr).*   Es ist
Noch nicht die Stunde, Ihro Majestät.
K ö n i g i n. Noch nicht die Stunde, wo ich Mutter sein darf?
Das ist doch schlimm. Vergessen Sie es ja nicht,
Mich zu erinnern, wenn sie kommt.
(Ein Page tritt auf und spricht leise mit der Oberhofmeiste-
rin, welche sich darauf zur Königin wendet.)
O l i v a r e z.   Der Marquis
Von Posa, Ihro Majestät –
K ö n i g i n.   Von Posa?
O l i v a r e z.
Er kommt aus Frankreich und den Niederlanden   470
Und wünscht die Gnade zu erhalten, Briefe
Von der Regentin Mutter übergeben
Zu dürfen.
K ö n i g i n. Und das ist erlaubt?
O l i v a r e z *(bedenklich).*   In meiner Vorschrift

Ist des besondern Falles nicht gedacht,
Wenn ein kastilian'scher Grande Briefe
Von einem fremden Hof der Königin
Von Spanien in ihrem Gartenwäldchen
Zu überreichen kommt.
Königin.   So will ich denn
Auf meine eigene Gefahr es wagen!
Olivarez. Doch mir vergönne Ihro Majestät,   480
Mich so lang zu entfernen –
Königin.   Halten Sie
Das, wie Sie wollen, Herzogin.
(Die Oberhofmeisterin geht ab, und die Königin gibt dem
Pagen einen Wink, welcher sogleich hinausgeht.)

VIERTER AUFTRITT

Königin. Prinzessin von Eboli. Marquisin von Mondecar
und Marquis von Posa.

Königin.   Ich heiße Sie
Willkommen, Chevalier, auf span'schem Boden.
Marquis. Den ich noch nie mit so gerechtem Stolze
Mein Vaterland genannt, als jetzt –
Königin *(zu den beiden Damen)*.   Der Marquis
Von Posa, der im Ritterspiel zu Reims
Mit meinem Vater eine Lanze brach
Und meine Farbe dreimal siegen machte –
Der erste seiner Nation, der mich
Den Ruhm empfinden lehrte, Königin   490
Der Spanier zu sein. *(Zum Marquis sich wendend.)*
                 Als wir im Louvre
Zum letztenmal uns sahen, Chevalier,
Da träumt' es Ihnen wohl noch nicht, daß Sie
Mein Gast sein würden in Kastilien.
Marquis.
Nein, große Königin – denn damals träumte
Mir nicht, daß Frankreich noch das einzige
An uns verlieren würde, was wir ihm
Beneidet hatten.
Königin.   Stolzer Spanier!
Das einzige? – Und das zu einer Tochter
Vom Hause Valois?

Marquis.   Jetzt darf ich es   500
  Ja sagen, Ihro Majestät – denn jetzt
  Sind Sie ja unser.
Königin.   Ihre Reise, hör ich,
  Hat auch durch Frankreich Sie geführt – Was bringen
  Sie mir von meiner hochverehrten Mutter
  Und meinen vielgeliebten Brüdern?
Marquis *(überreicht ihr die Briefe)*.
  Die Königin Mutter fand ich krank, geschieden
  Von jeder andern Freude dieser Welt,
  Als ihre königliche Tochter glücklich
  Zu wissen auf dem span'schen Thron.
Königin.   Muß sie
  Es nicht sein bei dem teuern Angedenken   510
  So zärtlicher Verwandten? bei der süßen
  Erinnrung an – Sie haben viele Höfe
  Besucht auf Ihren Reisen, Chevalier,
  Und viele Länder, vieler Menschen Sitte
  Gesehn – und jetzt, sagt man, sind Sie gesonnen,
  In Ihrem Vaterland sich selbst zu leben?
  Ein größrer Fürst in Ihren stillen Mauern,
  Als König Philipp auf dem Thron – ein Freier!
  Ein Philosoph! – Ich zweifle sehr, ob Sie
  Sich werden können in Madrid gefallen.   520
  Man ist sehr – ruhig in Madrid.
Marquis.   Und das
  Ist mehr, als sich das ganze übrige
  Europa zu erfreuen hat.
Königin.   So hör ich.
  Ich habe alle Händel dieser Erde
  Bis fast auf die Erinnerung verlernt.
  (Zur Prinzessin von Eboli.)
  Mir deucht, Prinzessin Eboli, ich sehe
  Dort eine Hyazinthe blühen – Wollen
  Sie mir sie bringen?
(Die Prinzessin geht nach dem Platze. Die Königin etwas
              leiser zum Marquis.)
                    Chevalier, ich müßte
  Mich sehr betrügen, oder Ihre Ankunft
  Hat einen frohen Menschen mehr gemacht   530
  An diesem Hofe.
Marquis.   Einen Traurigen

Hab ich gefunden – den auf dieser Welt
Nur etwas fröhlich –
    (Die Prinzessin kommt mit der Blume zurück.)

E b o l i.   Da der Chevalier
So viele Länder hat gesehen, wird
Er ohne Zweifel viel Merkwürdiges
Uns zu erzählen wissen.

M a r q u i s.   Allerdings.
Und Abenteuer suchen ist bekanntlich
Der Ritter Pflicht – die heiligste von allen,
Die Damen zu beschützen.

M o n d e c a r.   Gegen Riesen!
Jetzt gibt es keine Riesen mehr.

M a r q u i s.   Gewalt   540
Ist für den Schwachen jederzeit ein Riese.

K ö n i g i n. Der Chevalier hat recht. Es gibt noch Riesen,
Doch keine Ritter gibt es mehr.

M a r q u i s.   Noch jüngst,
Auf meinem Rückweg von Neapel, war
Ich Zeuge einer rührenden Geschichte,
Die mir der Freundschaft heiliges Legat
Zu meiner eigenen gemacht – Wenn ich
Nicht fürchten müßte, Ihre Majestät
Durch die Erzählung zu ermüden –

K ö n i g i n.   Bleibt
Mir eine Wahl? Die Neugier der Prinzessin   550
Läßt sich nichts unterschlagen. Nur zur Sache.
Auch ich bin eine Freundin von Geschichten.

M a r q u i s. Zwei edle Häuser in Mirandola,
Der Eifersucht, der langen Feindschaft müde,
Die von den Ghibellinen und den Guelfen
Jahrhunderte schon fortgeerbt, beschlossen,
Durch der Verwandtschaft zarte Bande sich
In einem ew'gen Frieden zu vereinen.
Des mächtigen Pietro Schwestersohn,
Fernando, und die göttliche Mathilde,   560
Colonnas Tochter, waren ausersehn,
Dies schöne Band der Einigkeit zu knüpfen.
Nie hat zwei schönre Herzen die Natur
Gebildet füreinander – nie die Welt,
Nie eine Wahl so glücklich noch gepriesen.
Noch hatte seine liebenswürd'ge Braut

Fernando nur im Bildnis angebetet –
Wie zitterte Fernando, wahr zu finden,
Was seine feurigsten Erwartungen
Dem Bilde nicht zu glauben sich getrauten!   570
In Padua, wo seine Studien
Ihn fesselten, erwartete Fernando
Des frohen Augenblicks nur, der ihm
Vergönnen sollte, zu Mathildens Füßen
Der Liebe erste Huldigung zu stammeln. –

*(Die Königin wird aufmerksamer. Der Marquis fährt nach
einem kurzen Stillschweigen fort, die Erzählung, soweit es
die Gegenwart der Königin erlaubt, mehr an die Prinzessin
von Eboli gerichtet.)*

Indessen macht der Gattin Tod die Hand
Pietros frei – Mit jugendlicher Glut
Verschlingt der Greis die Stimmen des Gerüchtes,
Das in den Ruhm Mathildens sich ergoß.
Er kommt! Er sieht! – Er liebt! Die neue Regung   580
Erstickt die leise Stimme der Natur,
Der Oheim wirbt um seines Neffen Braut
Und heiligt seinen Raub vor dem Altare.

K ö n i g i n. Und was beschließt Fernando?
M a r q u i s.   Auf der Liebe Flügeln,
Des fürchterlichen Wechsels unbewußt,
Eilt nach Mirandola der Trunkene.
Mit Sternenschein erreicht sein schnelles Roß
Die Tore – ein bacchantisches Getön
Von Reigen und von Pauken donnert ihm
Aus dem erleuchteten Palast entgegen.   590
Er bebt die Stufen scheu hinauf und sieht
Sich unerkannt im lauten Hochzeitsaale,
Wo in der Gäste taumelndem Gelag'
Pietro saß – ein Engel ihm zur Seite,
Ein Engel, den Fernando kennt, der ihm
In Träumen selbst so glänzend nie erschienen.
Ein einz'ger Blick zeigt ihm, was er besessen,
Zeigt ihm, was er auf immerdar verloren.

E b o l i. Unglücklicher Fernando!
K ö n i g i n.   Die Geschichte
Ist doch zu Ende, Chevalier? – Sie muß   600
Zu Ende sein.
M a r q u i s.   Noch nicht ganz.

Königin.   Sagten Sie
  Uns nicht, Fernando sei Ihr Freund gewesen?
Marquis. Ich habe keinen teurern.
Eboli.   Fahren Sie
  Doch fort in der Geschichte, Chevalier.
Marquis. Sie wird sehr traurig – und das Angedenken
  Erneuert meinen Schmerz. Erlassen Sie
  Mir den Beschluß –
        (Ein allgemeines Stillschweigen.)
Königin *(wendet sich zur Prinzessin von Eboli).*
           Nun wird mir endlich doch
  Vergönnt sein, meine Tochter zu umarmen. –
  Prinzessin, bringen Sie sie mir.
(Diese entfernt sich. Der Marquis winkt einem Pagen, der
sich im Hintergrunde zeigt und sogleich verschwindet. Die
Königin erbricht die Briefe, die der Marquis ihr gegeben,
und scheint überrascht zu werden. In dieser Zeit spricht der
Marquis geheim und sehr angelegentlich mit der Marquisin
von Mondecar. – Die Königin hat die Briefe gelesen und
wendet sich mit einem ausforschenden Blicke zum Marquis.)
           Sie haben
  Uns von Mathilden nichts gesagt? Vielleicht   610
  Weiß sie es nicht, wieviel Fernando leidet?
Marquis. Mathildens Herz hat niemand noch ergründet –
  Doch große Seelen dulden still.
Königin. Sie sehn sich um? Wen suchen Ihre Augen?
Marquis. Ich denke nach, wie glücklich ein gewisser,
  Den ich nicht nennen darf, an meinem Platze
  Sein müßte.
Königin. Wessen Schuld ist es, daß er
  Es nicht ist?
Marquis *(lebhaft einfallend).*
        Wie? darf ich mich unterstehen,
  Dies zu erklären, wie ich will? – Er würde
  Vergebung finden, wenn er jetzt erschiene?   620
Königin *(erschrocken).*
  Jetzt, Marquis? Jetzt? Was meinen Sie damit?
Marquis. Er dürfte hoffen – dürft' er?
Königin *(mit wachsender Verwirrung).*
            Sie erschrecken mich,
  Marquis – er wird doch nicht –
Marquis.   Hier ist er schon.

FÜNFTER AUFTRITT

Die Königin. Carlos.

*(Marquis von Posa und die Marquisin von Mondecar treten
nach dem Hintergrunde zurück.)*

C a r l o s *(vor der Königin niedergeworfen).*
 So ist er endlich da, der Augenblick,
 Und Karl darf diese teure Hand berühren!
K ö n i g i n. Was für ein Schritt – welch eine strafbare,
 Tollkühne Überraschung! Stehn Sie auf!
 Wir sind entdeckt. Mein Hof ist in der Nähe.
C a r l o s. Ich steh nicht auf – hier will ich ewig knien.
 Auf diesem Platz will ich verzaubert liegen,   630
 In dieser Stellung angewurzelt –
K ö n i g i n.   Rasender!
 Zu welcher Kühnheit führt Sie meine Gnade?
 Wie? Wissen Sie, daß es die Königin,
 Daß es die Mutter ist, an die sich diese
 Verwegne Sprache richtet? Wissen Sie,
 Daß ich – ich selbst von diesem Überfalle
 Dem Könige –
C a r l o s.   Und daß ich sterben muß!
 Man reiße mich von hier aufs Blutgerüste!
 Ein Augenblick, gelebt im Paradiese,
 Wird nicht zu teuer mit dem Tod gebüßt.   640
K ö n i g i n. Und Ihre Königin?
C a r l o s *(steht auf).*   Gott, Gott! ich gehe –
 Ich will Sie ja verlassen. – Muß ich nicht,
 Wenn Sie es *also* fordern? Mutter! Mutter!
 Wie schrecklich spielen Sie mit mir! Ein Wink,
 Ein halber Blick, ein Laut aus Ihrem Munde
 Gebietet mir, zu sein und zu vergehen.
 Was wollen Sie, daß noch geschehen soll?
 Was unter dieser Sonne kann es geben,
 Das ich nicht hinzuopfern eilen will,
 Wenn Sie es wünschen?
K ö n i g i n.   Fliehen Sie.
C a r l o s.   O Gott!   650
K ö n i g i n. Das einz'ge, Karl, warum ich Sie mit Tränen
 Beschwöre – fliehen Sie! – eh' meine Damen –
 Eh' meine Kerkermeister Sie und mich

Beisammen finden und die große Zeitung
Vor Ihres Vaters Ohren bringen –
C a r l o s.   Ich erwarte
Mein Schicksal – es sei Leben oder Tod.
Wie? Hab ich darum meine Hoffnungen
Auf diesen einz'gen Augenblick verwiesen,
Der Sie mir endlich ohne Zeugen schenkt,
Daß falsche Schrecken mich am Ziele täuschten?   660
Nein, Königin! Die Welt kann hundertmal,
Kann tausendmal um ihre Pole treiben,
Eh' diese Gunst der Zufall wiederholt.
K ö n i g i n. Auch soll er das in Ewigkeit nicht wieder.
Unglücklicher! Was wollen Sie von mir?
C a r l o s. O Königin, daß ich gerungen habe,
Gerungen, wie kein Sterblicher noch rang,
Ist Gott mein Zeuge – Königin! umsonst!
Hin ist mein Heldenmut. Ich unterliege.
K ö n i g i n. Nichts mehr davon – um meiner Ruhe willen!
C a r l o s. Sie waren mein – im Angesicht der Welt   671
Mir zugesprochen von zwei großen Thronen,
Mir zuerkannt von Himmel und Natur,
Und Philipp, Philipp hat mir Sie geraubt –
K ö n i g i n. Er ist Ihr Vater.
C a r l o s.   Ihr Gemahl.
K ö n i g i n.   Der Ihnen
Das größte Reich der Welt zum Erbe gibt.
C a r l o s. Und *Sie* zur Mutter –
K ö n i g i n.   Großer Gott! Sie rasen –
C a r l o s. Und weiß er auch, wie reich er ist? Hat er
Ein fühlend Herz, das Ihrige zu schätzen?
Ich will nicht klagen, nein, ich will vergessen,   680
Wie unaussprechlich glücklich *ich* an Ihrer Hand
Geworden wäre – wenn *nur er* es ist.
Er ist es nicht – Das, das ist Höllenqual!
Er ist es nicht und wird es niemals werden.
Du nahmst mir meinen Himmel nur, um ihn
In König Philipps Armen zu vertilgen.
K ö n i g i n. Abscheulicher Gedanke!
C a r l o s.   Oh, ich weiß,
Wer dieser Ehe Stifter war – ich weiß,
Wie Philipp lieben kann, und wie er freite.
Wer sind Sie denn in diesem Reich? Laß hören.   690

Regentin etwa? Nimmermehr! Wie könnten,
Wo *Sie* Regentin sind, die Alba würgen?
Wie könnte Flandern für den Glauben bluten?
Wie, oder sind Sie Philipps Frau? Unmöglich!
Ich kann's nicht glauben. Eine Frau besitzt
Des Mannes Herz – und wem gehört das seine?
Und bittet er nicht jede Zärtlichkeit,
Die ihm vielleicht in Fieberglut entwischte,
Dem Zepter ab und seinen grauen Haaren?
K ö n i g i n. Wer sagte Ihnen, daß an Philipps Seite   700
Mein Los beweinenswürdig sei?
C a r l o s.   Mein Herz,
Das feurig fühlt, wie es an meiner Seite
Beneidenswürdig wäre.
K ö n i g i n.   Eitler Mann!
Wenn *mein* Herz nun das Gegenteil mir sagte?
Wenn Philipps ehrerbiet'ge Zärtlichkeit
Und seiner Liebe stumme Mienensprache
Weit inniger, als seines stolzen Sohns
Verwegene Beredsamkeit, mich rührten?
Wenn eines Greisen überlegte Achtung –
C a r l o s. Das ist was anders – Dann – ja, dann Vergebung.
Das wußt' ich nicht, daß Sie den König lieben.   711
K ö n i g i n. Ihn ehren ist mein Wunsch und mein Vergnügen.
C a r l o s. Sie haben nie geliebt?
K ö n i g i n.   Seltsame Frage!
C a r l o s. Sie haben nie geliebt?
K ö n i g i n.   – Ich liebe nicht mehr.
C a r l o s. Weil es Ihr Herz, weil es Ihr Eid verbietet?
K ö n i g i n. Verlassen Sie mich, Prinz, und kommen Sie
Zu keiner solchen Unterredung wieder.
C a r l o s. Weil es Ihr Eid, weil es Ihr Herz verbietet?
K ö n i g i n. Weil meine Pflicht – – Unglücklicher, wozu
Die traurige Zergliederung des Schicksals,   720
Dem Sie und ich gehorchen müssen?
C a r l o s.   Müssen?
Gehorchen müssen?
K ö n i g i n.   Wie? Was wollen Sie
Mit diesem feierlichen Ton?
C a r l o s.   So viel,
Daß Carlos nicht gesonnen ist, zu müssen,
Wo er zu wollen hat; daß Carlos nicht

Gesonnen ist, der Unglückseligste
In diesem Reich zu bleiben, wenn es ihn
Nichts als den Umsturz der Gesetze kostet,
Der Glücklichste zu sein.
K ö n i g i n.　　　　Versteh ich Sie?
Sie hoffen noch? Sie wagen es, zu hoffen, 730
Wo alles, alles schon verloren ist?
C a r l o s. Ich gebe nichts verloren als die Toten.
K ö n i g i n. Auf mich, auf Ihre Mutter, hoffen Sie? –
*(Sie sieht ihn lange und durchdringend an – dann mit
Würde und Ernst.)*
Warum nicht? Oh! Der neu erwählte König
Kann mehr als das – kann die Verordnungen
Des Abgeschiednen durch das Feu'r vertilgen,
Kann seine Bilder stürzen, kann sogar –
Wer hindert ihn? – die Mumie des Toten
Aus ihrer Ruhe zu Escurial
Hervor ans Licht der Sonne reißen, seinen 740
Entweihten Staub in die vier Winde streun
Und dann zuletzt, um würdig zu vollenden –
C a r l o s. Um Gottes willen, reden Sie nicht aus.
K ö n i g i n. Zuletzt noch mit der Mutter sich vermählen.
C a r l o s. Verfluchter Sohn!
(Er steht einen Augenblick starr und sprachlos.)
　　　　　　　　　　Ja, es ist aus. Jetzt ist
Es aus – Ich fühle klar und helle, was
Mir ewig, ewig dunkel bleiben sollte.
Sie sind für mich dahin – dahin – dahin –
Auf immerdar! – Jetzt ist der Wurf gefallen.
Sie sind für mich verloren. – Oh, in diesem 750
Gefühl liegt Hölle! Hölle liegt im andern,
Sie zu besitzen. – Weh! ich faß es nicht,
Und meine Nerven fangen an, zu reißen.
K ö n i g i n. Beklagenswerter, teurer Karl! Ich fühle –
Ganz fühl ich sie, die namenlose Pein,
Die jetzt in Ihrem Busen tobt. Unendlich,
Wie Ihre Liebe, ist Ihr Schmerz. Unendlich,
Wie er, ist auch der Ruhm, ihn zu besiegen.
Erringen Sie ihn, junger Held. Der Preis
Ist dieses hohen, starken Kämpfers wert, 760
Des Jünglings wert, durch dessen Herz die Tugend
So vieler königlichen Ahnen rollt.

Ermannen Sie sich, edler Prinz. – Der Enkel
Des großen Karls fängt frisch zu ringen an,
Wo andrer Menschen Kinder mutlos enden.

C a r l o s. Zu spät! O Gott, es ist zu spät!

K ö n i g i n.   Ein Mann
Zu sein? O Karl! wie groß wird unsre Tugend,
Wenn unser Herz bei ihrer Übung bricht!
Hoch stellte Sie die Vorsicht – höher, Prinz,
Als Millionen Ihrer andern Brüder.   770
Parteilich gab sie ihrem Liebling, was
Sie andern nahm, und Millionen fragen:
Verdiente der im Mutterleibe schon,
Mehr als wir andern Sterblichen zu gelten?
Auf! retten Sie des Himmels Billigkeit!
Verdienen Sie, der Welt voranzugehn,
Und opfern Sie, was keiner opferte.

C a r l o s. Das kann ich auch. – Sie zu erkämpfen, hab
Ich Riesenkraft; Sie zu verlieren, keine.

K ö n i g i n. Gestehen Sie es, Carlos – Trotz ist es   780
Und Bitterkeit und Stolz, was Ihre Wünsche
So wütend nach der Mutter zieht. Die Liebe,
Das Herz, das Sie verschwenderisch mir opfern,
Gehört den Reichen an, die Sie dereinst
Regieren sollen. Sehen Sie, Sie prassen
Von Ihres Mündels anvertrautem Gut.
Die Liebe ist Ihr großes Amt. Bis jetzt
Verirrte sie zur Mutter. – Bringen Sie,
O bringen Sie sie Ihren künft'gen Reichen
Und fühlen Sie, statt Dolchen des Gewissens,   790
Die Wollust, Gott zu sein. Elisabeth
War Ihre erste Liebe. Ihre zwote
Sei Spanien! Wie gerne, guter Karl,
Will ich der besseren Geliebten weichen!

C a r l o s *(wirft sich, von Empfindung überwältigt, zu ih-
ren Füßen)*. Wie groß sind Sie, o Himmlische! – Ja, alles,
Was Sie verlangen, will ich tun! – Es sei!
(Er steht auf.)
Hier steh ich in der Allmacht Hand und schwöre –
Und schwöre Ihnen, schwöre ewiges –
O Himmel, nein! nur ewiges Verstummen,
Doch ewiges Vergessen nicht.

K ö n i g i n.   Wie könnt' ich   800

Von Carlos fordern, was ich selbst zu leisten
Nicht willens bin?
M a r q u i s *(eilt aus der Allee).*
                    Der König!
K ö n i g i n.   Gott!
M a r q u i s.   Hinweg!
Hinweg aus dieser Gegend, Prinz!
K ö n i g i n.   Sein Argwohn
Ist fürchterlich, erblickt er Sie –
C a r l o s.   Ich bleibe!
K ö n i g i n. Und wer wird dann das Opfer sein?
C a r l o s *(zieht den Marquis am Arme).*   Fort, fort!
Komm, Roderich!
(Er geht und kommt noch einmal zurück.)
                    Was darf ich mit mir nehmen?
K ö n i g i n. Die Freundschaft Ihrer Mutter.
C a r l o s.   Freundschaft! Mutter!
K ö n i g i n. Und diese Tränen aus den Niederlanden.
*(Sie gibt ihm einige Briefe. Karl und der Marquis gehen ab.
Die Königin sieht sich unruhig nach ihren Damen um, welche
sich nirgends erblicken lassen. Wie sie nach dem Hinter-
grunde zurückgehen will, erscheint der König.)*

SECHSTER AUFTRITT

*König. Königin. Herzog Alba. Graf Lerma. Domingo. Einige
Damen und Granden, welche in der Entfernung zurück-
bleiben.*

K ö n i g *(sieht mit Befremdung umher und schweigt eine
      Zeitlang).* Was seh ich! Sie hier! So allein, Madame!
Und auch nicht *eine* Dame zur Begleitung?   810
Das wundert mich – wo blieben Ihre Frauen?
K ö n i g i n. Mein gnädigster Gemahl –
K ö n i g.   Warum allein?
(Zum Gefolge.) Von diesem unverzeihlichen Versehn
Soll man die strengste Rechenschaft mir geben.
Wer hat das Hofamt bei der Königin?
Wen traf der Rang, sie heute zu bedienen?
K ö n i g i n. O zürnen Sie nicht, mein Gemahl – ich selbst,
Ich bin die Schuldige – auf mein Geheiß
Entfernte sich die Fürstin Eboli.

König. Auf Ihr Geheiß?
Königin.   Die Kammerfrau zu rufen,   820
Weil ich nach der Infantin mich gesehnt.
König. Und darum die Begleitung weggeschickt?
Doch dies entschuldigt nur die erste Dame.
Wo war die zwote?
Mondecar *(welche indessen zurückgekommen ist und
sich unter die übrigen Damen gemischt hat, tritt hervor).*
                    Ihro Majestät,
Ich fühle, daß ich strafbar bin –
König.   Deswegen
Vergönn ich Ihnen zehen Jahre Zeit,
Fern von Madrid darüber nachzudenken.
*(Die Marquisin tritt mit weinenden Augen zurück. Allge-
meines Stillschweigen. Alle Umstehenden sehen bestürzt auf
                    die Königin.)*
Königin. Marquisin, wen beweinen Sie?
(Zum König.)   Hab ich
Gefehlt, mein gnädigster Gemahl, so sollte
Die Königskrone dieses Reichs, wornach   830
Ich selber nie gegriffen habe, mich
Zum mindesten vor dem Erröten schützen.
Gibt's ein Gesetz in diesem Königreich,
Das vor Gericht Monarchentöchter fordert?
Bloß Zwang bewacht die Frauen Spaniens?
Schützt sie ein Zeuge mehr als ihre Tugend?
Und jetzt Vergebung, mein Gemahl – ich bin
Es nicht gewohnt, die mir mit Freude dienten,
In Tränen zu entlassen. – Mondecar!
*(Sie nimmt ihren Gürtel ab und überreicht ihn der Mar-
quisin.)* Den König haben Sie erzürnt – nicht mich –   840
Drum nehmen Sie dies Denkmal meiner Gnade
Und dieser Stunde. – Meiden Sie das Reich –
Sie haben nur in Spanien gesündigt;
In meinem Frankreich wischt man solche Tränen
Mit Freuden ab. – Oh, muß mich's ewig mahnen!
*(Sie lehnt sich an die Oberhofmeisterin und bedeckt das
Gesicht.)*
In meinem Frankreich war's doch anders.
König *(in einiger Bewegung).*   Konnte
Ein Vorwurf meiner Liebe Sie betrüben?
Ein Wort betrüben, das die zärtlichste

Bekümmernis auf meine Lippen legte?
(Er wendet sich gegen die Grandezza.)
Hier stehen die Vasallen meines Throns!   850
Sank je ein Schlaf auf meine Augenlider,
Ich hätte denn am Abend jedes Tags
Berechnet, wie die Herzen meiner Völker
In meinen fernsten Himmelsstrichen schlagen –
Und sollt' ich ängstlicher für meinen Thron
Als für die Gattin meines Herzens beben? –
Für meine Völker kann mein Schwert mir haften
Und – Herzog Alba: dieses Auge nur
Für meines Weibes Liebe.
Königin.   Wenn ich Sie
Beleidigt habe, mein Gemahl –
König.   Ich heiße   860
Der reichste Mann in der getauften Welt;
Die Sonne geht in meinem Staat nicht unter –
Doch alles das besaß ein andrer schon,
Wird nach mir mancher andre noch besitzen.
Das ist mein eigen. Was der König hat,
Gehört dem Glück – Elisabeth dem Philipp.
Hier ist die Stelle, wo ich sterblich bin.
Königin. Sie fürchten, Sire?
König.   Dies graue Haar doch nicht?
Wenn ich einmal zu fürchten angefangen,
Hab ich zu fürchten aufgehört. –
(Zu den Granden.)   Ich zähle   870
Die Großen meines Hofs – der erste fehlt.
Wo ist Don Carlos, mein Infant?
                    (Niemand antwortet.)
                            Der Knabe
Don Karl fängt an mir fürchterlich zu werden.
Er meidet meine Gegenwart, seitdem
Er von Alcalas hoher Schule kam.
Sein Blut ist heiß, warum sein Blick so kalt?
So abgemessen festlich sein Betragen?
Seid wachsam. Ich empfehl es euch.
Alba.   Ich bin's.
Solang ein Herz an diesen Panzer schlägt,
Mag sich Don Philipp ruhig schlafen legen.   880
Wie Gottes Cherub vor dem Paradies,
Steht Herzog Alba vor dem Thron.

L e r m a.   Darf ich
  Dem weisesten der Könige in Demut
  Zu widersprechen wagen? – Allzutief
  Verehr ich meines Königs Majestät,
  Als seinen Sohn so rasch und streng zu richten.
  Ich fürchte viel von Carlos' heißem Blut,
  Doch nichts von seinem Herzen.
K ö n i g.   Graf von Lerma,
  Ihr redet gut, den Vater zu bestechen:
  Des Königs Stütze wird der Herzog sein –   890
  Nichts mehr davon – *(Er wendet sich gegen sein Gefolge.)*
                            Jetzt eil ich nach Madrid.
  Mich ruft mein königliches Amt. Die Pest
  Der Ketzerei steckt meine Völker an,
  Der Aufruhr wächst in meinen Niederlanden.
  Es ist die höchste Zeit. Ein schauerndes
  Exempel soll die Irrenden bekehren.
  Den großen Eid, den alle Könige
  Der Christenheit geloben, lös ich morgen.
  Dies Blutgericht soll ohne Beispiel sein;
  Mein ganzer Hof ist feierlich geladen.   900
      (Er führt die Königin hinweg, die übrigen folgen.)

SIEBENTER AUFTRITT

*Don Carlos, mit Briefen in der Hand, Marquis von Posa
kommen von der entgegengesetzten Seite.*

C a r l o s. Ich bin entschlossen. Flandern sei gerettet.
  Sie will es – das ist mir genug.
M a r q u i s.   Auch ist
  Kein Augenblick mehr zu verlieren. Herzog
  Von Alba, sagt man, ist im Kabinett
  Bereits zum Gouverneur ernannt.
C a r l o s.   Gleich morgen
  Verlang ich Audienz bei meinem Vater.
  Ich fordre dieses Amt für mich. Es ist
  Die erste Bitte, die ich an ihn wage.
  Er kann sie mir nicht weigern. Lange schon
  Sieht er mich ungern in Madrid. Welch ein   910
  Willkommner Vorwand, mich entfernt zu halten!
  Und – soll ich dir's gestehen, Roderich? –

Ich hoffe mehr – Vielleicht gelingt es mir,
Von Angesicht zu Angesicht mit ihm
In seiner Gunst mich wiederherzustellen.
Er hat noch nie die Stimme der Natur
Gehört – laß mich versuchen, Roderich,
Was sie auf meinen Lippen wird vermögen!
M a r q u i s. Jetzt endlich hör ich meinen Carlos wieder!
Jetzt sind Sie wieder ganz Sie selbst.   920

ACHTER AUFTRITT

Graf Lerma. Die Vorigen.

L e r m a.   Soeben
Hat der Monarch Aranjuez verlassen.
Ich habe den Befehl –
C a r l o s.   Schon gut, Graf Lerma.
Ich treffe mit dem König ein.
M a r q u i s *(macht Miene, sich zu entfernen. Mit einigem
Zeremoniell).*   Sonst haben
Mir Eure Hoheit nichts mehr aufzutragen?
C a r l o s. Nichts, Chevalier. Ich wünsche Ihnen Glück
Zu Ihrer Ankunft in Madrid. Sie werden
Noch mehreres von Flandern mir erzählen.
(Zu Lerma, welcher noch wartet.)
Ich folge gleich.
                (Graf Lerma geht ab.)

NEUNTER AUFTRITT

Don Carlos. Der Marquis.

C a r l o s.   Ich habe dich verstanden.
Ich danke dir. Doch diesen Zwang entschuldigt
Nur eines Dritten Gegenwart. Sind wir   930
Nicht Brüder? – Dieses Possenspiel des Ranges
Sei künftighin aus unserm Bund verwiesen!
Berede dich, wir beide hätten uns
Auf einem Ball mit Masken eingefunden,
In Sklavenkleider du, und ich aus Laune
In einen Purpur eingemummt. Solange
Der Fasching währt, verehren wir die Lüge,

Der Rolle treu, mit lächerlichem Ernst,
Den süßen Rausch des Haufens nicht zu stören.
Doch durch die Larve winkt dein Karl dir zu,   940
Du drückst mir im Vorübergehn die Hände,
Und wir verstehen uns.

Marquis.   Der Traum ist göttlich.
Doch wird er nie verfliegen? Ist mein Karl
Auch seiner so gewiß, den Reizungen
Der unumschränkten Majestät zu trotzen?
Noch ist ein großer Tag zurück – ein Tag,
Wo dieser Heldensinn – ich will Sie mahnen –
In einer schweren Probe sinken wird.
Don Philipp stirbt. Karl erbt das größte Reich
Der Christenheit – Ein ungeheurer Spalt   950
Reißt vom Geschlecht der Sterblichen ihn los,
Und Gott ist heut, wer gestern Mensch noch war.
Jetzt hat er keine Schwächen mehr. Die Pflichten
Der Ewigkeit verstummen ihm. Die Menschheit
– Noch heut ein großes Wort in seinem Ohr –
Verkauft sich selbst und kriecht um ihren Götzen.
Sein Mitgefühl löscht mit dem Leiden aus,
In Wollüsten ermattet seine Tugend,
Für seine Torheit schickt ihm Peru Gold,
Für seine Laster zieht sein Hof ihm Teufel.   960
Er schläft berauscht in diesem Himmel ein,
Den seine Sklaven listig um ihn schufen.
Lang, wie sein Traum, währt seine Gottheit. – Wehe
Dem Rasenden, der ihn mitleidig weckte.
Was aber würde Roderich? – Die Freundschaft
Ist wahr und kühn – die kranke Majestät
Hält ihren fürchterlichen Strahl nicht aus.
Den Trotz des Bürgers würden Sie nicht dulden,
Ich nicht den Stolz des Fürsten.

Carlos.   Wahr und schrecklich
Ist dein Gemälde von Monarchen. Ja,   970
Ich glaube dir. – Doch nur die Wollust schloß
Dem Laster ihre Herzen auf. – Ich bin
Noch rein, ein dreiundzwanzigjähr'ger Jüngling.
Was vor mir Tausende gewissenlos
In schwelgenden Umarmungen verpraßten,
Des Geistes beste Hälfte, Männerkraft,
Hab ich dem künft'gen Herrscher aufgehoben.

Was könnte dich aus meinem Herzen drängen,
Wenn es nicht Weiber tun?
Marquis.   Ich selbst. Könnt' ich
So innig Sie noch lieben, Karl, wenn ich   980
Sie fürchten müßte?
Carlos.   Das wird nie geschehen.
Bedarfst du meiner? Hast du Leidenschaften,
Die von dem Throne betteln? Reizt dich Gold?
Du bist ein reicher Untertan, als ich
Ein König je sein werde. – Geizest du
Nach Ehre? Schon als Jüngling hattest du
Ihr Maß erschöpft – du hast sie ausgeschlagen.
Wer von uns wird der Gläubiger des andern,
Und wer der Schuldner sein? – Du schweigst? Du zitterst
Vor der Versuchung? Nicht gewisser bist   990
Du deiner selbst?
Marquis.   Wohlan. Ich weiche.
Hier meine Hand.
Carlos.   Der Meinige?
Marquis.   Auf ewig
Und in des Worts verwegenster Bedeutung.
Carlos. So treu und warm, wie heute dem Infanten,
Auch dermaleinst dem König zugetan?
Marquis. Das schwör ich Ihnen.
Carlos.   Dann auch, wenn der Wurm
Der Schmeichelei mein unbewachtes Herz
Umklammerte – wenn dieses Auge Tränen
Verlernte, die es sonst geweint – dies Ohr
Dem Flehen sich verriegelte, willst du,   1000
Ein schreckenloser Hüter meiner Tugend,
Mich kräftig fassen, meinen Genius
Bei seinem großen Namen rufen?
Marquis.   Ja.
Carlos. Und jetzt noch eine Bitte! Nenn mich du.
Ich habe deinesgleichen stets beneidet
Um dieses Vorrecht der Vertraulichkeit.
Dies brüderliche *Du* betrügt mein Ohr,
Mein Herz mit süßen Ahnungen von Gleichheit.
– Keinen Einwurf – Was du sagen willst, errat ich.
Dir ist es Kleinigkeit, ich weiß – doch mir,   1010
Dem Königssohne, ist es viel. Willst du
Mein Bruder sein?

Marquis.   Dein Bruder!
Carlos.   Jetzt zum König.
 Ich fürchte nichts mehr – Arm in Arm mit dir,
 So fordr' ich mein Jahrhundert in die Schranken.
    (Sie gehen ab.)

ZWEITER AKT

Im königlichen Palast zu Madrid.

ERSTER AUFTRITT

*König Philipp unter einem Thronhimmel. Herzog von Alba
in einiger Entfernung von dem König, mit bedecktem Haupt.
Carlos.*

Carlos. Den Vortritt hat das Königreich. Sehr gerne
 Steht Carlos dem Minister nach. Er spricht
 Für Spanien – ich bin der Sohn des Hauses.
 (Er tritt mit einer Verbeugung zurück.)
Philipp. Der Herzog bleibt, und der Infant mag reden.
Carlos *(sich gegen Alba wendend).*
 So muß ich denn von *Ihrer* Großmut, Herzog,
 Den König mir als ein Geschenk erbitten.   1020
 Ein Kind – Sie wissen ja – kann mancherlei
 An seinen Vater auf dem Herzen tragen,
 Das nicht für einen Dritten taugt. Der König
 Soll Ihnen unbenommen sein – ich will
 Den Vater nur für diese kurze Stunde.
Philipp. Hier steht sein Freund.
Carlos.   Hab ich es auch verdient,
 Den meinigen im Herzog zu vermuten?
Philipp. Auch je verdienen mögen? – Mir gefallen
 Die Söhne nicht, die beßre Wahlen treffen,
 Als ihre Väter.
Carlos.   Kann der Ritterstolz   1030
 Des Herzogs Alba diesen Auftritt hören?
 So wahr ich lebe, den Zudringlichen,
 Der zwischen Sohn und Vater unberufen

Sich einzudrängen nicht errötet, der
In seines Nichts durchbohrendem Gefühle
So dazustehen sich verdammt, möcht' ich
Bei Gott – und gält's ein Diadem – nicht spielen.
P h i l i p p *(verläßt seinen Sitz mit einem zornigen Blick
auf den Prinzen).* Entfernt Euch, Herzog!
*(Dieser geht nach der Haupttüre, durch welche Carlos ge-
kommen war; der König winkt ihm nach einer andern.)*
                                               Nein, ins Kabinett,
Bis ich Euch rufe.

ZWEITER AUFTRITT

König Philipp. Don Carlos.

C a r l o s *(geht, sobald der Herzog das Zimmer verlassen
hat, auf den König zu und fällt vor ihm nieder, im Aus-
druck der höchsten Empfindung).*
                              Jetzt mein Vater wieder,
Jetzt wieder mein, und meinen besten Dank   1040
Für diese Gnade – Ihre Hand, mein Vater –
O süßer Tag – Die Wonne dieses Kusses
War Ihrem Kinde lange nicht gegönnt.
Warum von Ihrem Herzen mich so lange
Verstoßen, Vater? Was hab ich getan?
P h i l i p p.
Infant, dein Herz weiß nichts von diesen Künsten.
Erspare sie, ich mag sie nicht.
C a r l o s *(aufstehend).*   Das war es!
Da hör ich Ihre Höflinge – Mein Vater!
Es ist nicht gut, bei Gott! nicht alles gut,
Nicht alles, was ein Priester sagt, nicht alles,   1050
Was eines Priesters Kreaturen sagen.
Ich bin nicht schlimm, mein Vater – heißes Blut
Ist meine Bosheit – mein Verbrechen Jugend.
Schlimm bin ich nicht, schlimm wahrlich nicht – wenn auch
Oft wilde Wallungen mein Herz verklagen,
Mein Herz ist gut –
P h i l i p p.   Dein Herz ist rein, ich weiß es,
Wie dein Gebet.
C a r l o s.   Jetzt oder nie! – Wir sind allein.
Der Etikette bange Scheidewand

Ist zwischen Sohn und Vater eingesunken.
Jetzt oder nie! Ein Sonnenstrahl der Hoffnung   1060
Glänzt in mir auf, und eine süße Ahnung
Fliegt durch mein Herz – Der ganze Himmel beugt
Mit Scharen froher Engel sich herunter,
Voll Rührung sieht der Dreimalheilige
Dem großen schönen Auftritt zu – Mein Vater!
Versöhnung! *(Er fällt ihm zu Füßen.)*

P h i l i p p.   Laß mich und steh auf!

C a r l o s.   Versöhnung!

P h i l i p p *(will sich von ihm losreißen).*
Zu kühn wird mir dies Gaukelspiel –

C a r l o s.   Zu kühn
Die Liebe deines Kindes?

P h i l i p p.   Vollends Tränen?
Unwürd'ger Anblick! – Geh aus meinen Augen.

C a r l o s. Jetzt oder nie – Versöhnung, Vater!

P h i l i p p.   Weg   1070
Aus meinen Augen! Komm mit Schmach bedeckt
Aus meinen Schlachten, meine Arme sollen
Geöffnet sein, dich zu empfangen – So
Verwerf ich dich! – Die feige Schuld allein
Wird sich in solchen Quellen schimpflich waschen.
Wer zu bereuen nicht errötet, wird
Sich Reue nie ersparen.

C a r l o s.   Wer ist das?
Durch welchen Mißverstand hat dieser Fremdling
Zu Menschen sich verirrt? – Die ewige
Beglaubigung der Menschheit sind ja Tränen;   1080
Sein Aug' ist trocken, ihn gebar kein Weib –
O zwingen Sie die nie benetzten Augen,
Noch zeitig Tränen einzulernen, sonst –
Sonst möchten Sie's in einer harten Stunde
Noch nachzuholen haben.

P h i l i p p. Denkst du den schweren Zweifel deines Vaters
Mit schönen Worten zu erschüttern?

C a r l o s.   Zweifel?
Ich will ihn tilgen, diesen Zweifel – will
Mich hängen an das Vaterherz, will reißen,
Will mächtig reißen an dem Vaterherzen,   1090
Bis dieses Zweifels felsenfeste Rinde
Von diesem Herzen niederfällt. – Wer sind sie,

Die mich aus meines Königs Gunst vertrieben?
Was bot der Mönch dem Vater für den Sohn?
Was wird ihm Alba für ein kinderlos
Verscherztes Leben zur Vergütung geben?
Sie wollen Liebe? – Hier in diesem Busen
Springt eine Quelle, frischer, feuriger,
Als in den trüben, sumpfigen Behältern,
Die Philipps Gold erst öffnen muß.

P h i l i p p.   Vermeßner,   1100
Halt ein! – Die Männer, die du wagst zu schmähn,
Sind die geprüften Diener meiner Wahl,
Und du wirst sie verehren.

C a r l o s.   Nimmermehr.
Ich fühle mich. Was Ihre Alba leisten,
Das kann auch Karl, und Karl kann mehr. Was fragt
Ein Mietling nach dem Königreich, das nie
Sein eigen sein wird? – Was bekümmert's *den*,
Wenn Philipps graue Haare weiß sich färben?
Ihr Carlos hätte Sie geliebt. – Mir graut
Vor dem Gedanken, einsam und allein,   1110
Auf einem *Thron* allein zu sein. –

P h i l i p p (*von diesem Worte ergriffen, steht nachdenkend
und in sich gekehrt. Nach einer Pause*).
                           Ich *bin* allein.

C a r l o s (*mit Lebhaftigkeit und Wärme auf ihn zugehend*).
Sie sind's gewesen. Hassen Sie mich nicht mehr,
Ich will Sie kindlich, will Sie feurig lieben,
Nur hassen Sie mich nicht mehr. – Wie entzückend
Und süß ist es, in einer schönen Seele
Verherrlicht uns zu fühlen, es zu wissen,
Daß unsre Freude fremde Wangen rötet,
Daß unsre Angst in fremden Busen zittert,
Daß unsre Leiden fremde Augen wässern –
Wie schön ist es und herrlich, Hand in Hand   1120
Mit einem teuern, vielgeliebten Sohn
Der Jugend Rosenbahn zurückzueilen,
Des Lebens Traum noch einmal durchzuträumen,
Wie groß und süß, in seines Kindes Tugend
Unsterblich, unvergänglich fortzudauern,
Wohltätig für Jahrhunderte! – Wie schön,
Zu pflanzen, was ein lieber Sohn einst erntet,
Zu sammeln, was ihm wuchern wird, zu ahnen,

Wie hoch sein Dank einst flammen wird! – Mein Vater,
Von diesem Erdenparadiese schwiegen   1130
Sehr weislich Ihre Mönche.

P h i l i p p *(nicht ohne Rührung).*
                       Oh, mein Sohn,
Mein Sohn! du brichst dir selbst den Stab. Sehr reizend
Malst du ein Glück, das – du mir nie gewährtest.

C a r l o s. Das richte der Allwissende! – Sie selbst,
Sie schlossen mich, wie aus dem Vaterherzen,
Von Ihres Zepters Anteil aus. Bis jetzt,
Bis diesen Tag – o war das gut, war's billig? –
Bis jetzt mußt' ich, der Erbprinz Spaniens,
In Spanien ein Fremdling sein, Gefangner
Auf diesem Grund, wo ich einst Herr sein werde.   1140
War das gerecht, war's gütig? – O wie oft,
Wie oft, mein Vater, sah ich schamrot nieder,
Wenn die Gesandten fremder Potentaten,
Wenn Zeitungsblätter mir das Neueste
Vom Hofe zu Aranjuez erzählten!

P h i l i p p. Zu heftig braust das Blut in deinen Adern,
Du würdest nur zerstören.

C a r l o s.
                   Geben Sie
Mir zu zerstören, Vater – heftig braust's
In meinen Adern – dreiundzwanzig Jahre,
Und nichts für die Unsterblichkeit getan!   1150
Ich bin erwacht, ich fühle mich. – Mein Ruf
Zum Königsthron pocht, wie ein Gläubiger,
Aus meinem Schlummer mich empor, und alle
Verlorne Stunden meiner Jugend mahnen
Mich laut wie Ehrenschulden. Er ist da,
Der große, schöne Augenblick, der endlich
Des hohen Pfundes Zinsen von mir fordert:
Mich ruft die Weltgeschichte, Ahnenruhm
Und des Gerüchtes donnernde Posaune.
Nun ist die Zeit gekommen, mir des Ruhmes   1160
Glorreiche Schranken aufzutun – Mein König,
Darf ich die Bitte auszusprechen wagen,
Die mich hiehergeführt?

P h i l i p p.
                   Noch eine Bitte?
Entdecke sie.

C a r l o s.   Der Aufruhr in Brabant
Wächst drohend an. Der Starrsinn der Rebellen

Heischt starke, kluge Gegenwehr. Die Wut
Der Schwärmer zu bezähmen, soll der Herzog
Ein Heer nach Flandern führen, von dem König
Mit souveräner Vollmacht ausgestattet.
Wie ehrenvoll ist dieses Amt, wie ganz   1170
Dazu geeignet, Ihren Sohn im Tempel
Des Ruhmes einzuführen! – Mir, mein König,
Mir übergeben Sie das Heer. Mich lieben
Die Niederländer; ich erkühne mich,
Mein Blut für ihre Treue zu verbürgen.

Philipp. Du redest wie ein Träumender. Dies Amt
Will einen Mann und keinen Jüngling –

Carlos.   Will
Nur einen Menschen, Vater, und das ist
Das einzige, was Alba nie gewesen.

Philipp. Und Schrecken bändigt die Empörung nur,   1180
Erbarmung hieße Wahnsinn – Deine Seele
Ist weich, mein Sohn, der Herzog wird gefürchtet –
Steh ab von deiner Bitte.

Carlos.   Schicken Sie
Mich mit dem Heer nach Flandern, wagen Sie's
Auf meine weiche Seele. Schon der Name
Des königlichen Sohnes, der voraus
Vor meinen Fahnen fliegen wird, erobert,
Wo Herzog Albas Henker nur verheeren.
Auf meinen Knieen bitt ich drum. Es ist
Die erste Bitte meines Lebens – Vater,   1190
Vertrauen Sie mir Flandern –

Philipp *(den Infanten mit einem durchdringenden Blick
betrachtend).*   Und zugleich
Mein bestes Kriegsheer deiner Herrschbegierde?
Das Messer meinem Mörder?

Carlos.   O mein Gott!
Bin ich nicht weiter, und ist das die Frucht
Von dieser längst erbetnen großen Stunde?
(Nach einigem Nachdenken, mit gemildertem Ernst.)
Antworten Sie mir sanfter! Schicken Sie
Mich *so* nicht weg! Mit dieser üblen Antwort
Möcht' ich nicht gern entlassen sein, nicht gern
Entlassen sein mit diesem schweren Herzen.
Behandeln Sie mich gnädiger. Es ist   1200
Mein dringendes Bedürfnis, ist mein letzter,

Verzweifelter Versuch – ich kann's nicht fassen,
Nicht standhaft tragen wie ein Mann, daß Sie
Mir alles, alles, alles so verweigern. –
Jetzt lassen Sie mich von sich. Unerhört,
Von tausend süßen Ahnungen betrogen,
Geh ich aus Ihrem Angesicht – Ihr Alba
Und Ihr Domingo werden siegreich thronen,
Wo jetzt Ihr Kind im Staub geweint. Die Schar
Der Höflinge, die bebende Grandezza,   1210
Der Mönche sünderbleiche Zunft war Zeuge,
Als Sie mir feierlich Gehör geschenkt.
Beschämen Sie mich nicht! So tödlich, Vater,
Verwunden Sie mich nicht, dem frechen Hohn
Des Hofgesindes schimpflich mich zu opfern,
Daß Fremdlinge von Ihrer Gnade schwelgen,
Ihr Carlos nichts erbitten kann. Zum Pfande,
Daß Sie mich ehren wollen, schicken Sie
Mich mit dem Heer nach Flandern.

Philipp.   Wiederhole
Dies Wort nicht mehr, bei deines Königs Zorn!   1220
Carlos. Ich wage meines Königs Zorn und bitte
Zum letztenmal – vertrauen Sie mir Flandern.
Ich soll und muß aus Spanien. Mein Hiersein
Ist Atemholen unter Henkershand –
Schwer liegt der Himmel zu Madrid auf mir,
Wie das Bewußtsein eines Mords. Nur schnelle
Veränderung des Himmels kann mich heilen.
Wenn Sie mich retten wollen – schicken Sie
Mich ungesäumt nach Flandern.
Philipp *(mit erzwungener Gelassenheit).*

                            Solche Kranke
Wie du, mein Sohn, verlangen gute Pflege   1230
Und wohnen unterm Aug' des Arzts. Du bleibst
In Spanien; der Herzog geht nach Flandern.
Carlos *(außer sich).*
Oh, jetzt umringt mich, gute Geister –
Philipp *(der einen Schritt zurücktritt).*
                            Halt!

Was wollen diese Mienen sagen?
Carlos *(mit schwankender Stimme).*
                            Vater,
Unwiderruflich bleibt's bei *der* Entscheidung?

Philipp. Sie kam vom König.
Carlos.   Mein Geschäft ist aus.
(Geht ab in heftiger Bewegung.)

DRITTER AUFTRITT

*Philipp bleibt eine Zeitlang in düstres Nachdenken versun-
ken stehen – endlich geht er einige Schritte im Saale auf und
nieder. Alba nähert sich verlegen.*

Philipp. Seid jede Stunde des Befehls gewärtig,
  Nach Brüssel abzugehen.
Alba.   Alles steht
  Bereit, mein König.
Philipp.   Eure Vollmacht liegt
  Versiegelt schon im Kabinett. Indessen   1240
  Nehmt Euren Urlaub von der Königin
  Und zeiget Euch zum Abschied dem Infanten.
Alba. Mit den Gebärden eines Wütenden
  Sah ich ihn eben diesen Saal verlassen.
  Auch Eure königliche Majestät
  Sind außer sich und scheinen tief bewegt –
  Vielleicht der Inhalt des Gesprächs?
Philipp *(nach einigem Aufundniedergehen).*
                              Der Inhalt
  War Herzog Alba.
  (Der König bleibt mit dem Aug' auf ihm haften, finster.)
              – Gerne mag ich hören,
  Daß Carlos meine Räte *haßt*; doch mit
  Verdruß entdeck ich, daß er sie *verachtet.*   1250
Alba *(entfärbt sich und will auffahren).*
Philipp. Jetzt keine Antwort. Ich erlaube Euch,
  Den Prinzen zu versöhnen.
Alba.   Sire!
Philipp.   Sagt an,
  Wer war es doch, der mich zum erstenmal
  Vor meines Sohnes schwarzem Anschlag warnte?
  Da hört' ich *Euch* und nicht auch *ihn.* Ich will
  Die Probe wagen, Herzog. Künftighin
  Steht Carlos meinem Throne näher. Geht.
*(Der König begibt sich in das Kabinett. Der Herzog entfernt
sich durch eine andre Türe.)*

Ein Vorsaal vor dem Zimmer der Königin.

VIERTER AUFTRITT

Don Carlos kommt im Gespräche mit einem Pagen durch die Mitteltüre. Die Hofleute, welche sich im Vorsaal befinden, zerstreuen sich bei seiner Ankunft in die angrenzenden Zimmern.

C a r l o s. Ein Brief an mich? – Wozu denn dieser Schlüssel?
  Und beides mir so heimlich überliefert?
  Komm näher. – Wo empfingst du das?
P a g e *(geheimnisvoll).*   Wie mich   1260
  Die Dame merken lassen, will sie lieber
  Erraten, als beschrieben sein –
C a r l o s *(zurückfahrend).*   Die Dame?
  (Indem er den Pagen genauer betrachtet.)
  Was? – Wie? – Wer bist du denn?
P a g e.   Ein Edelknabe
  Von Ihrer Majestät der Königin –
C a r l o s *(erschrocken auf ihn zugehend und ihm die Hand auf den Mund drückend).*
  Du bist des Todes. Halt! Ich weiß genug.
(Er reißt hastig das Siegel auf und tritt an das äußerste Ende des Saals, den Brief zu lesen. Unterdessen kommt der Herzog von Alba und geht, ohne von dem Prinzen bemerkt zu werden, an ihm vorbei in der Königin Zimmer. Carlos fängt an, heftig zu zittern und wechselsweise zu erblassen und zu erröten. Nachdem er gelesen hat, steht er lange sprachlos, die Augen starr auf den Brief geheftet. – Endlich wendet er sich zu dem Pagen.)
  Sie gab dir selbst den Brief?
P a g e.   Mit eignen Händen.
C a r l o s. Sie gab dir selbst den Brief? – O spotte nicht!
  Noch hab ich nichts von ihrer Hand gelesen,
  Ich muß dir glauben, wenn du schwören kannst.
  Wenn's Lüge war, gesteh mir's offenherzig   1270
  Und treibe keinen Spott mit mir.
P a g e.   Mit wem?
C a r l o s *(sieht wieder in den Brief und betrachtet den Pagen mit zweifelhafter, forschender Miene. Nachdem er einen Gang durch den Saal gemacht hat).*
  Du hast noch Eltern? Ja? Dein Vater dient
  Dem Könige und ist ein Kind des Landes?

Page. Er fiel bei St. Quentin, ein Oberster
Der Reiterei des Herzogs von Savoyen,
Und hieß Alonzo Graf von Henarez.
Carlos *(indem er ihn bei der Hand nimmt und die Augen bedeutend auf ihn heftet).*
Den Brief gab dir der König?
Page *(empfindlich).*   Gnäd'ger Prinz,
Verdien ich diesen Argwohn?
Carlos *(liest den Brief).*   »Dieser Schlüssel öffnet
Die hintern Zimmer im Pavillon
Der Königin. Das äußerste von allen   1280
Stößt seitwärts an ein Kabinett, wohin
Noch keines Horchers Fußtritt sich verloren.
Hier darf die Liebe frei und laut gestehn,
Was sie so lange Winken nur vertraute.
Erhörung wartet auf den Furchtsamen
Und schöner Lohn auf den bescheidnen Dulder.«
(Wie aus einer Betäubung erwachend.)
Ich träume nicht – ich rase nicht – das ist
Mein rechter Arm – das ist mein Schwert – das sind
Geschriebne Silben. Es ist wahr und wirklich.
Ich bin geliebt – ich bin es – ja, ich bin,   1290
Ich bin geliebt! *(Außer Fassung durchs Zimmer stürzend und die Arme zum Himmel emporgeworfen.)*
Page. So kommen Sie, mein Prinz, ich führe Sie.
Carlos. Erst laß mich zu mir selber kommen. – Zittern
Nicht alle Schrecken dieses Glücks noch in mir?
Hab ich so stolz gehofft? Hab ich das je
Zu träumen mir getraut? Wo ist der Mensch,
Der sich so schnell gewöhnte, Gott zu sein? –
Wer war ich, und wer bin ich nun? Das ist
Ein andrer Himmel, eine andre Sonne,
Als vorhin dagewesen war – Sie liebt mich!   1300
Page *(will ihn fortführen).*
Prinz, Prinz, hier ist der Ort nicht – Sie vergessen –
Carlos *(von einer plötzlichen Erstarrung ergriffen).*
Den König, meinen Vater!
(Er läßt die Arme sinken, blickt scheu umher und fängt an, sich zu sammeln.)   Das ist schrecklich –
Ja, ganz recht, Freund. Ich danke dir, ich war
Soeben nicht ganz bei mir. – Daß ich *das*
Verschweigen soll, der Seligkeit so viel

In diese Brust vermauern soll, ist schrecklich.
(Den Pagen bei der Hand fassend und beiseite führend.)
Was du gesehn – hörst du? – und nicht gesehen,
Sei wie ein Sarg in deiner Brust versunken.
Jetzt geh. Ich will mich finden. Geh. Man darf
Uns hier nicht treffen. Geh –
P a g e *(will fort).*
C a r l o s.   Doch halt! doch höre! – 1310
*(Der Page kommt zurück. Carlos legt ihm eine Hand auf
die Schulter und sieht ihm ernst und feierlich ins Gesicht.)*
Du nimmst ein schreckliches Geheimnis mit,
Das, jenen starken Giften gleich, die Schale
Worin es aufgefangen wird, zersprengt –
Beherrsche deine Mienen gut. Dein Kopf
Erfahre niemals, was dein Busen hütet.
Sei wie das tote Sprachrohr, das den Schall
Empfängt und wiedergibt und selbst nicht höret.
Du bist ein Knabe – sei es immerhin
Und fahre fort, den Fröhlichen zu spielen –
Wie gut verstand's die kluge Schreiberin,   1320
Der Liebe einen Boten auszulesen!
Hier sucht der König seine Nattern nicht.
P a g e. Und ich, mein Prinz, ich werde stolz drauf sein,
Um ein Geheimnis reicher mich zu wissen
Als selbst der König –
C a r l o s.   Eitler junger Tor,
Das ist's, wovor du zittern mußt. – Geschieht's,
Daß wir uns öffentlich begegnen, schüchtern,
Mit Unterwerfung nahst du mir. Laß nie
Die Eitelkeit zu Winken dich verführen,
Wie gnädig der Infant dir sei. Du kannst   1330
Nicht schwerer sündigen, mein Sohn, als wenn
Du *mir* gefällst – Was du mir künftig magst
Zu hinterbringen haben, sprich es nie
Mit Silben aus, vertrau es nie den Lippen;
Den allgemeinen Fahrweg der Gedanken
Betrete deine Zeitung nicht. Du sprichst
Mit deinen Wimpern, deinem Zeigefinger;
Ich höre dir mit Blicken zu. Die Luft,
Das Licht um uns ist Philipps Kreatur;
Die tauben Wände stehn in seinem Solde –   1340
Man kommt –

(Das Zimmer der Königin öffnet sich, und der Herzog von Alba tritt heraus.)
Hinweg! Auf Wiedersehen!

P a g e.   Prinz,
    Daß Sie das rechte Zimmer nur nicht fehlen! *(Ab.)*
C a r l o s. Es ist der Herzog – Nein doch, nein, schon gut,
    Ich finde mich.

FÜNFTER AUFTRITT

Don Carlos. Herzog von Alba.

A l b a *(ihm in den Weg tretend).*
              Zwei Worte, gnäd'ger Prinz.
C a r l o s. Ganz recht – schon gut – ein andermal.
    (Er will gehen.)
A l b a.   Der Ort
    Scheint freilich nicht der schicklichste. Vielleicht
    Gefällt es Eurer Königlichen Hoheit,
    Auf Ihrem Zimmer mir Gehör zu geben?
C a r l o s.
    Wozu? Das kann hier auch geschehn. – Nur schnell,
    Nur kurz –
A l b a.   Was eigentlich hieher mich führt,   1350
    Ist, Eurer Hoheit untertän'gen Dank
    Für das Bewußte abzutragen –
C a r l o s.   Dank?
    Mir Dank? Wofür? – Und Dank von Herzog Alba?
A l b a. Denn kaum, daß Sie das Zimmer des Monarchen
    Verlassen hatten, ward mir angekündigt,
    Nach Brüssel abzugehen.
C a r l o s.   Brüssel! So!
A l b a. Wem sonst, mein Prinz, als Ihrer gnädigen
    Verwendung bei des Königs Majestät,
    Kann ich es zuzuschreiben haben? –
C a r l o s.   Mir?
    Mir ganz und gar nicht – mir wahrhaftig nicht.   1360
    Sie reisen – reisen Sie mit Gott.
A l b a.   Sonst nichts?
    Das nimmt mich wunder – Eure Hoheit hätten
    Mir weiter nichts nach Flandern aufzutragen?
C a r l o s. Was sonst? was dort?

A l b a.   Doch schien es noch vor kurzem,
  Als forderte das Schicksal dieser Länder
  Don Carlos' eigne Gegenwart.
C a r l o s.   Wieso?
  Doch ja – ja recht – das war vorhin – das ist
  Auch so ganz gut, recht gut, um so viel besser –
A l b a. Ich höre mit Verwunderung –
C a r l o s *(nicht mit Ironie).*   Sie sind
  Ein großer General – wer weiß das nicht?   1370
  Der Neid muß es beschwören. Ich – ich bin
  Ein junger Mensch. So hat es auch der König
  Gemeint. Der König hat ganz recht, ganz recht.
  Ich seh's jetzt ein, ich bin vergnügt, und also
  Genug davon. Glück auf den Weg. Ich kann
  Jetzt, wie Sie sehen, schlechterdings – ich bin
  Soeben etwas überhäuft – das Weitere
  Auf morgen, oder wenn Sie wollen, oder
  Wenn Sie von Brüssel wiederkommen –
A l b a.   Wie?
C a r l o s *(nach einigem Stillschweigen, wie er sieht, daß der
  Herzog noch immer bleibt).*
  Sie nehmen gute Jahrzeit mit – Die Reise   1380
  Geht über Mailand, Lothringen, Burgund
  Und Deutschland – Deutschland? – Recht, in Deutschland
                                     war es!
  Da kennt man Sie! – Wir haben jetzt April;
  Mai – Junius – im Julius, ganz recht,
  Und spätestens zu Anfang des Augusts
  Sind Sie in Brüssel. Oh, ich zweifle nicht,
  Man wird sehr bald von Ihren Siegen hören.
  Sie werden unsers gnädigsten Vertrauens
  Sich wert zu machen wissen.
A l b a *(mit Bedeutung).*   Werd ich das
  In meines Nichts durchbohrendem Gefühle?   1390
C a r l o s *(nach einigem Stillschweigen, mit Würde und
  Stolz).* Sie sind empfindlich, Herzog – und mit Recht.
  Es war, ich muß bekennen, wenig Schonung
  Von meiner Seite, Waffen gegen Sie
  Zu führen, die Sie nicht imstande sind
  Mir zu erwidern.
A l b a.   Nicht imstande? –
C a r l o s *(ihm lächelnd die Hand reichend).* Schade,

Daß mir's gerade jetzt an Zeit gebricht,
Den würd'gen Kampf mit Alba auszufechten.
Ein andermal –

A l b a.   Prinz, wir verrechnen uns
Auf ganz verschiedne Weise. Sie zum Beispiel,
Sie sehen sich um zwanzig Jahre später,   1400
Ich Sie um ebensoviel früher.

C a r l o s.   Nun?

A l b a. Und dabei fällt mir ein, wie viele Nächte
Bei seiner schönen portugiesischen
Gemahlin, Ihrer Mutter, der Monarch
Wohl drum gegeben hätte, einen Arm
Wie *diesen* seiner Krone zu erkaufen.
Ihm mocht' es wohl bekannt sein, wieviel leichter
Die Sache sei, Monarchen fortzupflanzen,
Als Monarchien – wieviel schneller man
Die Welt mit einem Könige versorge,   1410
Als Könige mit einer Welt.

C a r l o s.   Sehr war!
Doch, Herzog Alba? doch –

A l b a.   Und wieviel Blut,
Blut *Ihres* Volkes fließen mußte, bis
Zwei Tropfen *Sie* zum König machen konnten.

C a r l o s. Sehr wahr, bei Gott – und in zwei Worte alles
Gepreßt, was des Verdienstes Stolz dem Stolze
Des Glücks entgegensetzen kann – Doch nun
Die Anwendung? doch, Herzog Alba?

A l b a.   Wehe
Dem zarten Wiegenkinde Majestät,
Das seiner Amme spotten kann! Wie sanft   1420
Mag's auf dem weichen Kissen unsrer Siege
Sich schlafen lassen! An der Krone funkeln
Die Perlen nur und freilich nicht die Wunden,
Mit denen sie errungen ward – Dies Schwert
Schrieb fremden Völkern spanische Gesetze,
Es blitzte dem Gekreuzigten voran
Und zeichnete dem Samenkorn des Glaubens
Auf diesem Weltteil blut'ge Furchen vor:
Gott richtete im Himmel, ich auf Erden –

C a r l o s. Gott oder Teufel, gilt gleich viel! Sie waren   1430
Sein rechter Arm. Ich weiß das wohl – und jetzt
Nichts mehr davon. Ich bitte. Vor gewissen

Erinnerungen möcht' ich gern mich hüten. –
Ich ehre meines Vaters Wahl. Mein Vater
Braucht einen Alba; *daß* er diesen braucht,
Das ist es nicht, warum ich ihn beneide.
Sie sind ein großer Mann – Auch das mag sein;
Ich glaub es fast. Nur, fürcht ich, kamen Sie
Um wenige Jahrtausende zu zeitig.
Ein Alba, sollt' ich meinen, war der Mann,   1440
Am Ende aller Tage zu erscheinen:
Dann, wenn des Lasters Riesentrotz die Langmut
Des Himmels aufgezehrt, die reiche Ernte
Der Missetat in vollen Halmen steht
Und einen Schnitter sonder Beispiel fordert,
Dann stehen *Sie* an Ihrem Platz – O Gott,
Mein Paradies! mein Flandern! – Doch ich soll
Es jetzt nicht denken. Still davon. Man spricht,
Sie führten einen Vorrat Blutsentenzen,
Im voraus unterzeichnet, mit? Die Vorsicht   1450
Ist lobenswert. So braucht man sich vor keiner
Schikane mehr zu fürchten. – O mein Vater,
Wie schlecht verstand ich deine Meinung! Härte
Gab ich dir schuld, weil du mir ein Geschäft
Verweigertest, wo deine Alba glänzen? –
Es war der Anfang deiner Achtung.

A l b a.   Prinz,
Dies Wort verdiente –
C a r l o s *(auffahrend).* Was?
A l b a.   Doch *davor* schützt Sie
Der Königssohn.
C a r l o s *(nach dem Schwert greifend).*
                        Das fordert Blut! – Das Schwert
Gezogen, Herzog!
A l b a *(kalt).*   Gegen wen?
C a r l o s *(heftig auf ihn eindringend).*
                                  Das Schwert
Gezogen, ich durchstoße Sie.
A l b a *(zieht).*   Wenn es   1460
Denn sein muß –
                    (Sie fechten.)

SECHSTER AUFTRITT

Die Königin. Don Carlos. Herzog von Alba.

K ö n i g i n *(welche erschrocken aus ihrem Zimmer tritt).*
Bloße Schwerter!
(Zum Prinzen, unwillig und mit gebietender Stimme.)
Carlos!
C a r l o s *(vom Anblick der Königin außer sich gesetzt, läßt
den Arm sinken, steht ohne Bewegung und sinnlos, dann
eilt er auf den Herzog zu und küßt ihn).*
Versöhnung! Herzog! Alles sei vergeben!
*(Er wirft sich stumm zu der Königin Füßen, steht dann
rasch auf und eilt außer Fassung fort.)*
A l b a *(der voll Erstaunen dasteht und kein Auge von
ihnen verwendet).* Bei Gott, das ist doch seltsam! –
K ö n i g i n *(steht einige Augenblicke beunruhigt und zwei-
felhaft, dann geht sie langsam nach ihrem Zimmer, an der
Türe dreht sie sich um).*   Herzog Alba!
(Der Herzog folgt ihr in das Zimmer.)

Ein Kabinett der Prinzessin von Eboli.

SIEBENTER AUFTRITT

*Die Prinzessin, in einem idealischen Geschmack, schön, aber
einfach gekleidet, spielt die Laute und singt. Darauf der
Page der Königin.*

P r i n z e s s i n *(springt schnell auf).*
Er kommt!
P a g e *(eilfertig).*   Sind Sie allein? Mich wundert sehr,
Ihn noch nicht hier zu finden; doch er muß
Im Augenblick erscheinen.
P r i n z e s s i n.   Muß er? Nun,
So *will* er auch – so ist es ja entschieden –
P a g e. Er folgt mir auf den Fersen. – Gnäd'ge Fürstin,
Sie sind geliebt – geliebt, geliebt wie Sie
Kann's niemand sein und niemand sein gewesen.   1470
Welch eine Szene sah ich an!
P r i n z e s s i n *(zieht ihn voll Ungeduld an sich).*
Geschwinde!
Du sprachst mit ihm? Heraus damit! Was sprach er?

Wie nahm er sich? Was waren seine Worte?
Er schien verlegen, schien bestürzt? Erriet
Er die Person, die ihm den Schlüssel schickte?
Geschwinde – oder riet er nicht? Er riet
Wohl gar nicht? riet auf eine falsche? – Nun?
Antwortest du mir denn kein Wort? O pfui,
Pfui, schäme dich: so hölzern bist du nie,
So unerträglich langsam nie gewesen.   1480

P a g e. Kann ich zu Worte kommen, Gnädigste?
Ich übergab ihm Schlüssel und Billet
Im Vorsaal bei der Königin. Er stutzte
Und sah mich an, da mir das Wort entwischte,
Ein Frauenzimmer sende mich.

P r i n z e s s i n.   Er stutzte?
Sehr gut! sehr brav! Nur fort, erzähle weiter.

P a g e. Ich wollte mehr noch sagen, da erblaßt' er
Und riß den Brief mir aus der Hand und sah
Mich drohend an und sagt', er wisse alles.
Den Brief durchlas er mit Bestürzung, fing   1490
Auf einmal an zu zittern.

P r i n z e s s i n.   Wisse alles?
Er wisse alles? Sagt' er das?

P a g e.   Und fragte
Mich dreimal, viermal, ob Sie selber, wirklich
Sie selber mir den Brief gegeben?

P r i n z e s s i n.   Ob
Ich selbst? Und also nannt' er meinen Namen?

P a g e. Den Namen – nein, den nannt' er nicht – Es möchten
Kundschafter, sagt' er, in der Gegend horchen
Und es dem König plaudern.

P r i n z e s s i n *(befremdet).*   Sagt' er das?

P a g e. Dem König, sagt' er, liege ganz erstaunlich,
Gar mächtig viel daran, besonders viel,   1500
Von diesem Briefe Kundschaft zu erhalten.

P r i n z e s s i n.
Dem König? Hast du recht gehört? Dem König?
War das der Ausdruck, den er brauchte?

P a g e.   Ja!
Er nannt' es ein gefährliches Geheimnis
Und warnte mich, mit Worten und mit Winken
Gar sehr auf meiner Hut zu sein, daß ja
Der König keinen Argwohn schöpfe.

Prinzessin *(nach einigem Nachsinnen, voll Verwunde-*
rung).   Alles
   Trifft zu – Es kann nicht anders sein – er muß
   Um die Geschichte wissen. – Unbegreiflich!
   Wer mag ihm wohl verraten haben? – Wer?
   Ich frage noch – Wer sieht so scharf, so tief,   1510
   Wer anders als der Falkenblick der Liebe?
   Doch weiter, fahre weiter fort: er las
   Das Billet –
Page.   Das Billet enthalte
   Ein Glück, sagt' er, vor dem er zittern müsse;
   Das hab' er nie zu träumen sich getraut.
   Zum Unglück trat der Herzog in den Saal,
   Dies zwang uns –
Prinzessin *(ärgerlich).*   Aber was in aller Welt
   Hat jetzt der Herzog dort zu tun? – Wo aber,
   Wo bleibt er denn? Was zögert er? Warum   1520
   Erscheint er nicht? – Siehst du, wie falsch man dich
   Berichtet hat! Wie glücklich wär' er schon
   In so viel Zeit gewesen, als du brauchtest,
   Mir zu erzählen, daß er's werden wollte!
Page. Der Herzog, fürcht ich –
Prinzessin.   Wiederum der Herzog?
   Was will der *hier*? Was hat der tapfre Mann
   Mit meiner stillen Seligkeit zu schaffen?
   Den könnt' er stehenlassen, weiterschicken –
   Wen auf der Welt kann man das nicht? – O wahrlich!
   Dein Prinz versteht sich auf die Liebe selbst   1530
   So schlecht als, wie es schien, auf Damenherzen.
   Er weiß nicht, was Minuten sind – Still, still!
   Ich höre kommen. Fort! Es ist der Prinz.
          (Page eilt hinaus.)
   Hinweg, hinweg! – Wo hab ich meine Laute?
   Er soll mich überraschen – Mein Gesang
   Soll ihm das Zeichen geben –

ACHTER AUFTRITT

Die Prinzessin und bald nachher Don Carlos.

P r i n z e s s i n *(hat sich in eine Ottomane geworfen und
spielt).*
C a r l o s *(stürzt herein. Er erkennt die Prinzessin und
steht da, wie vom Donner gerührt).*
                          Gott!
Wo bin ich?
P r i n z e s s i n *(läßt die Laute fallen. Ihm entgegen).*
                Ah, Prinz Carlos? Ja wahrhaftig!
C a r l o s. Wo bin ich? Rasender Betrug – ich habe
Das rechte Kabinett verfehlt.
P r i n z e s s i n.   Wie gut
Versteht es Karl, die Zimmer sich zu merken,   1540
Wo Damen ohne Zeugen sind.
C a r l o s.   Prinzessin –
Verzeihen Sie, Prinzessin – ich – ich fand
Den Vorsaal offen.
P r i n z e s s i n.   Kann das möglich sein?
Mich deucht ja doch, daß ich ihn selbst verschloß.
C a r l o s. Das deucht Sie nur, das deucht Sie – doch versichert!
Sie irren sich. Verschließen wollen, ja,
Das geb ich zu, das glaub ich – doch verschlossen?
Verschlossen nicht, wahrhaftig nicht! Ich höre
Auf einer – Laute jemand spielen – war's
Nicht eine Laute?   *(Indem er sich zweifelhaft umsieht.)*
          Recht! dort liegt sie noch –   1550
Und Laute – das weiß Gott im Himmel! – Laute,
Die lieb ich bis zur Raserei. Ich bin
Ganz Ohr, ich weiß nichts von mir selber, stürze
Ins Kabinett, der süßen Künstlerin,
Die mich so himmlisch rührte, mich so mächtig
Bezauberte, ins schöne Aug' zu sehen.
P r i n z e s s i n. Ein liebenswürd'ger Vorwitz, den Sie doch
Sehr bald gestillt, wie ich beweisen könnte.
(Nach einigem Stillschweigen, mit Bedeutung.)
Oh, schätzen muß ich den bescheidnen Mann,
Der, einem Weib Beschämung zu ersparen,   1560
In solchen Lügen sich verstrickt.
C a r l o s *(treuherzig).*   Prinzessin,
Ich fühle selber, daß ich nur verschlimmre,

Wo ich verbessern will. Erlassen Sie
Mir eine Rolle, die ich durchzuführen
So ganz und gar verdorben bin. Sie suchten
Auf diesem Zimmer Zuflucht vor der Welt.
Hier wollten Sie, von Menschen unbehorcht,
Den stillen Wünschen Ihres Herzens leben.
Ich Sohn des Unglücks zeige mich; sogleich
Ist dieser schöne Traum gestört – dafür   1570
Soll mich die schleunigste Entfernung – *(Er will gehen.)*
Prinzessin *(überrascht und betroffen, doch sogleich
wieder gefaßt).*   Prinz –
Oh, das war boshaft.
Carlos.   Fürstin – ich verstehe,
Was *dieser* Blick in diesem Kabinett
Bedeuten soll, und diese tugendhafte
Verlegenheit verehr ich. Weh dem Manne,
Den weibliches Erröten mutig macht!
Ich bin verzagt, wenn Weiber vor mir zittern.
Prinzessin.
Ist's möglich? – Ein Gewissen ohne Beispiel
Für einen jungen Mann und Königssohn!
Ja, Prinz – jetzt vollends müssen Sie mir bleiben,   1580
Jetzt bitt ich selbst darum: bei so viel Tugend
Erholt sich jedes Mädchens Angst. Doch wissen Sie,
Daß Ihre plötzliche Erscheinung mich
Bei meiner liebsten Arie erschreckte?
(Sie führt ihn zum Sofa und nimmt ihre Laute wieder.)
Die Arie, Prinz Carlos, werd ich wohl
Noch einmal spielen müssen; Ihre Strafe
Soll sein, mir zuzuhören.
Carlos. *(Er setzt sich, nicht ganz ohne Zwang, **neben die
Fürstin.**)*   Eine Strafe,
So wünschenswert, als mein Vergehn – und wahrlich!
Der Inhalt war mir so willkommen, war
So göttlich schön, daß ich zum – drittenmal   1590
Sie hören könnte.
Prinzessin.   Was? Sie haben alles
Gehört? Das ist abscheulich, Prinz – es war,
Ich glaube gar, die Rede von der Liebe?
Carlos. Und, irr ich nicht, von einer glücklichen –
Der schönste Text in diesem schönen Munde;
Doch freilich nicht so wahr gesagt als schön.

essin.
Nicht? Nicht so wahr? – Und also zweifeln Sie? –
Carlos *(ernsthaft)*.
Ich zweifle fast, ob Carlos und die Fürstin
Von Eboli sich je verstehen können,
Wenn Liebe abgehandelt wird.
*(Die Prinzessin stutzt; er bemerkt es und fährt mit einer
leichten Galanterie fort.)*
                              Denn wer,   1600
Wer wird es diesen Rosenwangen glauben,
Daß Leidenschaft in dieser Brust gewühlt?
Läuft eine Fürstin Eboli Gefahr,
Umsonst und unerhört zu seufzen? Liebe
Kennt der allein, der ohne Hoffnung liebt.
Prinzessin *(mit ihrer ganzen vorigen Munterkeit)*.
O still! Das klingt ja fürchterlich – Und freilich
Scheint dieses Schicksal *Sie* vor allen andern,
Und vollends heute – heute zu verfolgen.
*(Ihn bei der Hand fassend, mit einschmeichelndem Inter-
esse.)*
Sie sind nicht fröhlich, guter Prinz – Sie leiden –
Bei Gott, Sie leiden ja wohl gar. Ist's möglich?   1610
Und warum leiden, Prinz? bei diesem lauten
Berufe zum Genuß der Welt, bei allen
Geschenken der verschwendrischen Natur
Und allem Anspruch auf des Lebens Freuden?
Sie – eines großen Königs Sohn und *mehr,*
Weit mehr als das, schon in der Fürstenwiege
Mit Gaben ausgestattet, die sogar
Auch Ihres Ranges Sonnenglanz verdunkeln?
Sie – der im ganzen strengen Rat der Weiber
Bestochne Richter sitzen hat, der Weiber,   1620
Die über Männerwert und Männerruhm
Ausschließend ohne Widerspruch entscheiden?
Der, wo er nur *bemerkte,* schon erobert,
Entzündet, wo er kaltgeblieben, wo
Er glühen will, mit Paradiesen spielen
Und Götterglück verschenken muß – der Mann,
Den die Natur zum Glück von Tausenden
Und *wenigen* mit gleichen Gaben schmückte,
Er selber sollte elend sein? – O Himmel,
Der du ihm alles, alles gabst, warum,   1630

Warum denn nur die Augen ihm versagen,
Womit er seine Siege sieht?

C a r l o s *(der die ganze Zeit über in die tiefste Zerstreuung*
versunken war, wird durch das Stillschweigen der Prin-
zessin plötzlich zu sich selbst gebracht und fährt in die
Höhe). Vortrefflich!
Ganz unvergleichlich, Fürstin. Singen Sie
Mir diese Stelle doch noch einmal.

P r i n z e s s i n *(sieht ihn erstaunt an).* Carlos,
Wo waren Sie indessen?

C a r l o s *(springt auf).* Ja, bei Gott!
Sie mahnen mich zur rechten Zeit – ich muß,
Muß fort – muß eilends fort.

P r i n z e s s i n *(hält ihn zurück).* Wohin?

C a r l o s *(in schrecklicher Beängstigung).* Hinunter
Ins Freie. – Lassen Sie mich los – Prinzessin,
Mir wird, als rauchte hinter mir die Welt
In Flammen auf –

P r i n z e s s i n *(hält ihn mit Gewalt zurück).*
                  Was haben Sie? Woher   1640
Dies fremde unnatürliche Betragen?
(Carlos bleibt stehen und wird nachdenkend. Sie ergreift
diesen Augenblick, ihn zu sich auf das Sofa zu ziehen.)
Sie brauchen Ruhe, lieber Karl – Ihr Blut
Ist jetzt in Aufruhr – setzen Sie sich zu mir –
Weg mit den schwarzen Fieberphantasien!
Wenn Sie sich selber offenherzig fragen,
Weiß dieser Kopf, was dieses Herz beschwert?
Und wenn er's nun auch wüßte – sollte denn
Von allen Rittern dieses Hofs nicht einer,
Von allen Damen keine – Sie zu heilen,
Sie zu verstehen, wollt' ich sagen – keine   1650
Von allen würdig sein?

C a r l o s *(flüchtig, gedankenlos).*
                  Vielleicht die Fürstin
Von Eboli –

P r i n z e s s i n *(freudig, rasch).*
                  Wahrhaftig?

C a r l o s.   Geben Sie
Mir eine Bittschrift – ein Empfehlungsschreiben
An meinen Vater. Geben Sie! Man spricht,
Sie gelten viel.

. . . essin. Wer spricht das? (Ha! so war es
. . . rgwohn, der dich stumm gemacht!)
. . . s.   Wahrscheinlich
. . . e Geschichte schon herum. Ich habe
Den schnellen Einfall, nach Brabant zu gehn,
Um – bloß um meine Sporen zu verdienen.
Das will mein Vater nicht – Der gute Vater   1660
Besorgt, wenn ich Armeen kommandierte –
Mein Singen könnte drunter leiden.

Prinzessin.   Carlos,
Sie spielen falsch. Gestehen Sie, Sie wollen
In dieser Schlangenwindung mir entgehn.
Hiehergesehen, Heuchler! Aug in Auge!
Wer nur von Rittertaten träumt – wird *der*,
Gestehen Sie – wird *der* auch wohl so tief
Herab sich lassen, Bänder, die den Damen
Entfallen sind, begierig wegzustehlen
Und – Sie verzeihn – *(Indem sie mit einer leichten Fin-*
gerbewegung seine Hemdkrause wegschnellt und eine
Bandschleife, die da verborgen war, wegnimmt.)
                           so kostbar zu verwahren?   1670

Carlos *(mit Befremdung zurücktretend).*
Prinzessin – Nein, das geht zu weit – Ich bin
Verraten. Sie betrügt man nicht. – Sie sind
Mit Geistern, mit Dämonen einverstanden.

Prinzessin. Darüber scheinen Sie erstaunt? Darüber?
Was soll die Wette gelten, Prinz, ich rufe
Geschichten in Ihr Herz zurück, Geschichten –
Versuchen Sie es; fragen Sie mich aus.
Wenn selbst der Laune Gaukelein, ein Laut,
Verstümmelt in die Luft gehaucht, ein Lächeln,
Von schnellem Ernste wieder ausgelöscht,   1680
Wenn selber schon Erscheinungen, Gebärden,
Wo Ihre Seele ferne war, mir nicht
Entgangen sind, urteilen Sie, ob ich
Verstand, wo Sie verstanden werden wollten?

Carlos. Nun, das ist wahrlich viel gewagt – Die Wette
Soll gelten, Fürstin. Sie versprechen mir
Entdeckungen in meinem eignen Herzen,
Um die ich selber nie gewußt.

Prinzessin *(etwas empfindlich und ernsthaft).*
                           Nie, Prinz?

Besinnen Sie sich besser. Sehn Sie um sich. –
Dies Kabinett ist keines von den Zimmern   1690
Der Königin, wo man das bißchen Maske
Noch allenfalls zu loben fand – Sie stutzen?
Sie werden plötzlich lauter Glut? – O freilich,
Wer sollte wohl so scharfklug, so vermessen,
So müßig sein, den Carlos zu belauschen,
Wenn Carlos unbelauscht sich glaubt? – Wer sah's,
Wie er beim letzten Hofball seine Dame,
Die Königin, im Tanze stehenließ
Und mit Gewalt ins nächste Paar sich drängte,
Statt seiner königlichen Tänzerin   1700
Der Fürstin Eboli die Hand zu reichen?
Ein Irrtum, Prinz, den der Monarch sogar,
Der eben jetzt erschienen war, bemerkte!

Carlos *(mit ironischem Lächeln).*
Auch sogar *der?* Ja freilich, gute Fürstin,
Für *den* besonders war das nicht.

Prinzessin.   Sowenig,
Als jener Auftritt in der Schloßkapelle,
Worauf sich wohl Prinz Carlos selbst nicht mehr
Besinnen wird. Sie lagen zu den Füßen
Der Heil'gen Jungfrau in Gebet ergossen,
Als plötzlich – konnten Sie dafür? – die Kleider   1710
Gewisser Damen hinter Ihnen rauschten.
Da fing Don Philipps heldenmüt'ger Sohn
Gleich einem Ketzer vor dem heil'gen Amte
Zu zittern an; auf seinen bleichen Lippen
Starb das vergiftete Gebet – im Taumel
Der Leidenschaft – es war ein Possenspiel
Zum Rühren, Prinz – ergreifen Sie die Hand,
Der Mutter Gottes heil'ge kalte Hand,
Und Feuerküsse regnen auf den Marmor.

Carlos.
Sie tun mir unrecht, Fürstin. Das war Andacht.   1720

Prinzessin.
Ja, dann ist's etwas anders, Prinz – dann freilich
War's damals auch nur Furcht vor dem Verluste,
Als Carlos mit der Königin und mir
Beim Spielen saß und mit bewundernswerter
Geschicklichkeit mir diesen Handschuh stahl –

       (Carlos springt bestürzt auf.)

Den er zwar gleich nachher so artig war,
Statt einer Karte wieder auszuspielen.
C a r l o s. O Gott – Gott – Gott! Was hab ich da gemacht?
P r i n z e s s i n. Nichts, was Sie widerrufen werden, hoff ich.
Wie froh erschrak ich, als mir unvermutet   1730
Ein Briefchen in die Finger kam, das Sie
In diesen Handschuh zu verstecken wußten.
Es war die rührendste Romanze, Prinz,
Die –
C a r l o s *(ihr rasch ins Wort fallend).*
              Poesie! – Nichts weiter – Mein Gehirn
Treibt öfters wunderbare Blasen auf,
Die schnell, wie sie entstanden sind, zerspringen.
Das war es alles. Schweigen wir davon.
P r i n z e s s i n *(vor Erstaunen von ihm weggehend und
ihn eine Zeitlang aus der Entfernung beobachtend).*
Ich bin erschöpft – all meine Proben gleiten
Von diesem schlangenglatten Sonderling.
(Sie schweigt einige Augenblicke.)
Doch wie? – Wär's ungeheurer Männerstolz,   1740
Der nur, sich desto süßer zu ergetzen,
Die Blödigkeit als Larve brauchte? – Ja?
*(Sie nähert sich dem Prinzen wieder und betrachtet ihn
zweifelhaft.)*
Belehren *Sie* mich endlich, Prinz – Ich stehe
Vor einem zauberisch verschloßnen Schrank,
Wo alle meine Schlüssel mich betrügen.
C a r l o s. Wie ich vor Ihnen.
P r i n z e s s i n. *(Sie verläßt ihn schnell, geht einigemal
stillschweigend im Kabinett auf und nieder und scheint
über etwas Wichtiges nachzudenken. Endlich nach einer
großen Pause ernsthaft und feierlich.)*
                            Endlich sei es denn –
Ich muß einmal zu reden mich entschließen.
Zu meinem Richter wähl ich Sie. Sie sind
Ein edler Mensch – ein Mann, sind Fürst und Ritter.
An Ihren Busen werf ich mich. Sie werden   1750
Mich retten, Prinz, und, wo ich ohne Rettung
Verloren bin, teilnehmend um mich weinen.
*(Der Prinz rückt näher, mit erwartungsvollem, teilnehmen-
dem Erstaunen.)*
Ein frecher Günstling des Monarchen buhlt

Um meine Hand – Rui Gomez, Graf von Silva –
Der König will, schon ist man Handels einig,
Ich bin der Kreatur verkauft.
C a r l o s *(heftig ergriffen).*   Verkauft?
Und wiederum verkauft? und wiederum
Von dem berühmten Handelsmann im Süden?
P r i n z e s s i n. Nein, hören Sie erst alles. Nicht genug,
Daß man der Politik mich hingeopfert,   1760
Auch meiner Unschuld stellt man nach – Da! Hier!
Dies Blatt kann diesen Heiligen entlarven.
(Carlos nimmt das Papier und hängt voll Ungeduld an ihrer
     Erzählung, ohne sich Zeit zu nehmen, es zu lesen.)
Wo soll ich Rettung finden, Prinz? Bis jetzt
War es mein Stolz, der meine Tugend schützte;
Doch endlich –
C a r l o s.   Endlich fielen Sie? Sie fielen?
Nein, nein! um Gottes willen, nein!
P r i n z e s s i n *(stolz und edel).*   Durch wen?
Armselige Vernünftelei! Wie schwach
Von diesen starken Geistern! Weibergunst,
Der Liebe Glück der Ware gleich zu achten,
Worauf geboten werden kann! Sie ist   1770
Das einzige auf diesem Rund der Erde,
Was keinen Käufer leidet, als sich selbst.
Die Liebe ist der Liebe Preis. Sie ist
Der unschätzbare Diamant, den ich
Verschenken oder, ewig ungenossen,
Verscharren muß – dem großen Kaufmann gleich,
Der, ungerührt von des Rialto Gold,
Und Königen zum Schimpfe, seine Perle
Dem reichen Meere wiedergab, zu stolz,
Sie *unter* ihrem Werte loszuschlagen.   1780
C a r l o s.
(Beim wunderbaren Gott! – das Weib ist schön!)
P r i n z e s s i n. Man nenn' es Grille – Eitelkeit: gleichviel.
Ich *teile* meine Freuden nicht. Dem Mann,
Dem einzigen, den ich mir auserlesen,
Geb ich für alles alles hin. Ich schenke
Nur *einmal*, aber ewig. Einen nur
Wird meine Liebe glücklich machen – Einen –
Doch diesen Einzigen zum Gott. Der Seelen
Entzückender Zusammenklang – ein Kuß –

Der Schäferstunde schwelgerische Freuden –   1790
Der Schönheit hohe, himmlische Magie
Sind *eines* Strahles schwesterliche Farben,
Sind *einer* Blume Blätter nur. Ich sollte,
Ich Rasende! ein abgerißnes Blatt
Aus dieser Blume schönem Kelch verschenken?
Ich selbst des Weibes hohe Majestät,
Der Gottheit großes Meisterstück verstümmeln,
Den Abend eines Prassers zu versüßen?

C a r l o s. (Unglaublich! Wie? Ein solches Mädchen hatte
  Madrid, und ich – und ich erfahr es heute   1800
  Zum erstenmal?)

P r i n z e s s i n.   Längst hätt' ich diesen Hof
Verlassen, diese Welt verlassen, hätte
In heil'gen Mauern mich begraben; doch
Ein einzig Band ist noch zurück, ein Band,
Das mich an diese Welt allmächtig bindet. –
Ach, ein Phantom vielleicht! doch mir so wert!
Ich liebe und bin – nicht geliebt.

C a r l o s *(voll Feuer auf sie zugehend).*   Sie sind's!
So wahr ein Gott im Himmel wohnt. Ich schwör es,
Sie sind's, und unaussprechlich.

P r i n z e s s i n.   Sie? Sie schwören's?
Oh, das war meines Engels Stimme! Ja,   1810
Wenn freilich Sie es schwören, Karl, dann glaub ich's,
Dann bin ich's.

C a r l o s *(der sie voll Zärtlichkeit in die Arme schließt).*
      Süßes, seelenvolles Mädchen!
Anbetungswürdiges Geschöpf! – Ich stehe
Ganz Ohr – ganz Auge – ganz Entzücken – ganz
Bewunderung. – Wer hätte dich gesehn,
Wer unter diesem Himmel dich gesehn
Und rühmte sich – er habe nie geliebt?
Doch hier an König Philipps Hof? Was hier?
Was, schöner Engel, willst du hier? Bei Pfaffen
Und Pfaffenzucht? Das ist kein Himmelsstrich   1820
Für solche Blumen! – Möchten sie sie brechen?
Sie möchten – oh, ich glaub es gern – Doch nein!
So wahr ich Leben atme, nein! – Ich schlinge
Den Arm um dich, auf meinen Armen trag ich
Durch eine teufelvolle Hölle dich!
Ja – laß mich deinen Engel sein –

Prinzessin (*mit dem vollen Blick der Liebe*).

O Carlos!
Wie wenig hab ich Sie gekannt! Wie reich
Und grenzenlos belohnt Ihr schönes Herz
Die schwere Müh', es zu begreifen!
(*Sie nimmt seine Hand und will sie küssen.*)

Carlos (*der sie zurückzieht*). Fürstin,
Wo sind Sie jetzt?

Prinzessin (*mit Feinheit und Grazie, indem sie starr in seine Hand sieht*).

Wie schön ist diese Hand!   1830
Wie reich ist sie! – Prinz, diese Hand hat noch
Zwei kostbare Geschenke zu vergeben –
Ein Diadem und Carlos' Herz – und beides
Vielleicht an *eine* Sterbliche? – An *eine*?
Ein großes, göttliches Geschenk! – Beinahe
Für *eine* Sterbliche zu groß! – Wie, Prinz?
Wenn Sie zu einer Teilung sich entschlössen?
Die Königinnen lieben schlecht – ein Weib,
Das lieben kann, versteht sich schlecht auf Kronen:
Drum besser, Prinz, Sie teilen, und gleich jetzt,   1840
Gleich jetzt – Wie? Oder hätten Sie wohl schon?
Sie hätten wirklich? Oh, dann um so besser!
Und kenn ich diese Glückliche?

Carlos. Du sollst.
Dir, Mädchen, dir entdeck ich mich – der Unschuld,
Der lautern, unentheiligten Natur
Entdeck ich mich. An diesem Hof bist du
Die Würdigste, die Einzige, die erste,
Die meine Seele ganz versteht – Ja denn!
Ich leugn' es nicht – ich liebe!

Prinzessin. Böser Mensch!
So schwer ist das Geständnis dir geworden?   1850
Beweinenswürdig mußt' ich sein, wenn du
Mich liebenswürdig finden solltest!

Carlos (*stutzt*). Was?
Was ist das?

Prinzessin. Solches Spiel mit mir zu treiben!
O wahrlich, Prinz, es war nicht schön. Sogar
Den Schlüssel zu verleugnen!

Carlos. Schlüssel! Schlüssel!
(*Nach einem dumpfen Besinnen.*)

Ja so – so war's. – Nun merk ich – – O mein Gott!
(Seine Knie wanken, er hält sich an einen Stuhl und verhüllt das Gesicht.)
P r i n z e s s i n *(Eine lange Stille von beiden Seiten. Die Fürstin schreit laut und fällt).*
Abscheulich! Was hab ich getan!
C a r l o s *(sich aufrichtend, im Ausbruch des heftigsten Schmerzes).*   So tief
Herabgestürzt von allen meinen Himmeln! –
Oh, das ist schrecklich!
P r i n z e s s i n *(das Gesicht in das Kissen verbergend).*
                              Was entdeck ich? Gott!
C a r l o s *(vor ihr niedergeworfen).*
Ich bin nicht schuldig, Fürstin – Leidenschaft –   1860
Ein unglückselʼger Mißverstand – Bei Gott!
Ich bin nicht schuldig.
P r i n z e s s i n *(stößt ihn von sich).*
                              Weg aus meinen Augen,
Um Gottes willen –
C a r l o s.   Nimmermehr! In dieser
Entsetzlichen Erschüttrung Sie verlassen?
P r i n z e s s i n *(ihn mit Gewalt wegdrängend).*
Aus Großmut, aus Barmherzigkeit, hinaus
Von meinen Augen! – Wollen Sie mich morden?
Ich hasse Ihren Anblick!
                    (Carlos will gehen.)
                              Meinen Brief
Und meinen Schlüssel geben Sie mir wieder.
Wo haben Sie den andern Brief?
C a r l o s.   Den andern?
Was denn für einen andern?
P r i n z e s s i n.   Den vom König.   1870
C a r l o s *(zusammenschreckend).*
Von wem?
P r i n z e s s i n. Den Sie vorhin von mir bekamen.
C a r l o s. Vom König? und an wen? an Sie?
P r i n z e s s i n.   O Himmel!
Wie schrecklich hab ich mich verstrickt! Den Brief!
Heraus damit! ich muß ihn wiederhaben.
C a r l o s. Vom König Briefe, und an Sie?
P r i n z e s s i n.   Den Brief!
Im Namen aller Heiligen!

Carlos. Der einen
 Gewissen mir entlarven sollte – diesen?
Prinzessin. Ich bin des Todes! – Geben Sie!
Carlos. Der Brief –
Prinzessin *(in Verzweiflung die Hände ringend).*
 Was hab ich Unbesonnene gewagt!
Carlos. Der Brief – der kam vom König? – Ja, Prinzessin,
 Das ändert freilich alles schnell – *Das* ist   1881
 (den Brief frohlockend emporhaltend)
 Ein unschätzbarer – schwerer – teurer Brief,
 Den alle Kronen Philipps einzulösen
 Zu leicht, zu nichtsbedeutend sind – *den* Brief
 Behalt ich. *(Er geht.)*
Prinzessin *(wirft sich ihm in den Weg).*
   Großer Gott! ich bin verloren!

NEUNTER AUFTRITT

Die Prinzessin *(allein. Sie steht noch betäubt, außer
 Fassung; nachdem er hinaus ist, eilt sie ihm nach und will
 ihn zurückrufen).*
 Prinz, noch ein Wort. Prinz, hören Sie – Er geht!
 Auch das noch! Er verachtet mich – Da steh ich
 In fürchterlicher Einsamkeit – verstoßen –
 Verworfen – *(Sie sinkt auf einen Sessel. Nach einer Pause.)*
  Nein! Verdrungen nur, verdrungen
 Von einer Nebenbuhlerin. Er liebt.   1890
 Kein Zweifel mehr. Er hat es selbst bekannt.
 Doch *wer* ist diese Glückliche? – So viel
 Ist offenbar – er liebt, was er nicht sollte.
 Er fürchtet die Entdeckung. Vor dem König
 Verkriecht sich seine Leidenschaft – Warum
 Vor diesem, der sie wünschte? – Oder ist's
 Der Vater nicht, was er im Vater fürchtet?
 Als ihm des Königs buhlerische Absicht
 Verraten war – da jauchzten seine Mienen,
 Frohlockt' er, wie ein Glücklicher … Wie kam es,   1900
 Daß seine strenge Tugend hier verstummte?
 Hier? Eben hier? – Was kann denn er dabei,
 Er zu gewinnen haben, wenn der König
 Der Königin die –

(Sie hält plötzlich ein, von einem Gedanken überrascht –
Zu gleicher Zeit reißt sie die Schleife, die ihr Carlos gege-
ben hat, von dem Busen, betrachtet sie schnell und er-
kennt sie.)   O ich Rasende!
Jetzt endlich, jetzt – Wo waren meine Sinne?
Jetzt gehen mir die Augen auf – Sie hatten
Sich lang geliebt, eh' der Monarch sie wählte.
Nie ohne *sie* sah mich der Prinz. – Sie also,
Sie war gemeint, wo ich so grenzenlos,
So warm, so wahr mich angebetet glaubte?   1910
O ein Betrug, der ohne Beispiel ist!
Und meine Schwäche hab ich ihr verraten –
(Stillschweigen.)
Daß er ganz ohne Hoffnung lieben sollte!
Ich kann's nicht glauben – Hoffnungslose Liebe
Besteht in diesem Kampfe nicht. Zu schwelgen,
Wo unerhört der glänzendste Monarch
Der Erde schmachtet – Wahrlich! solche Opfer
Bringt hoffnungslose Liebe nicht. Wie feurig
War nicht sein Kuß! Wie zärtlich drückt' er mich,
Wie zärtlich an sein schlagend Herz! – Die Probe   1920
War fast zu kühn für die romant'sche Treue,
Die nicht erwidert werden soll – Er nimmt
Den Schlüssel an, den, wie er sich beredet,
Die Königin ihm zugeschickt – er glaubt
An diesen Riesenschritt der Liebe – kommt,
Kommt wahrlich, kommt! – So traut er Philipps Frau
Die rasende Entschließung zu – Wie kann er,
Wenn hier nicht große Proben ihn ermuntern?
Es ist am Tag. Er wird erhört. Sie liebt!
Beim Himmel, diese Heilige empfindet!   1930
Wie fein ist sie! . . . Ich zitterte, ich selbst,
Vor dem erhabnen Schreckbild dieser Tugend.
Ein höhres Wesen ragt sie neben mir,
In ihrem Glanz erlösch ich. Ihrer Schönheit
Mißgönnt' ich diese hohe Ruhe, frei
Von jeder Wallung sterblicher Naturen.
Und diese Ruhe war nur Schein? Sie hätte
An beiden Tafeln schwelgen wollen? hätte
Den Götterschein der Tugend schaugetragen
Und doch zugleich des Lasters heimliche   1940
Entzückungen zu naschen sich erdreistet?

Das durfte sie? Das sollte ungerochen
Der Gauklerin gelungen sein? gelungen,
Weil sich kein Rächer meldet? – Nein, bei Gott!
Ich betete sie an – Das fordert Rache!
Der König wisse den Betrug – Der König?
(Nach einigem Besinnen.)
Ja, recht – das ist ein Weg zu seinem Ohre. *(Sie geht ab.)*

Ein Zimmer im königlichen Palaste.

ZEHNTER AUFTRITT

Herzog von Alba. Pater Domingo.

D o m i n g o. Was wollten Sie mir sagen?
A l b a.   Eine wicht'ge
Entdeckung, die ich heut gemacht, worüber
Ich einen Aufschluß haben möchte.
D o m i n g o.   Welche   1950
Entdeckung? Wovon reden Sie?
A l b a.   Prinz Carlos
Und ich begegnen diesen Mittag uns
Im Vorgemach der Königin. Ich werde
Beleidigt. Wir erhitzen uns. Der Streit
Wird etwas laut. Wir greifen zu den Schwertern.
Die Königin auf das Getöse öffnet
Das Zimmer, wirft sich zwischen uns und sieht
Mit einem Blick despotischer Vertrautheit
Den Prinzen an – Es war ein einz'ger Blick –
Sein Arm erstarrt – er fliegt an meinen Hals –   1960
Ich fühle einen heißen Kuß – er ist
Verschwunden.
D o m i n g o *(nach einigem Stillschweigen).*
                 Das ist sehr verdächtig – Herzog,
Sie mahnen mich an etwas – – Ähnliche
Gedanken, ich gesteh es, keimten längst
In meiner Brust – Ich flohe diese Träume –
Noch hab ich niemand sie vertraut. Es gibt
Zweischneid'ge Klingen, ungewisse Freunde –
Ich fürchte diese. Schwer zu unterscheiden,
Noch schwerer zu ergründen sind die Menschen.
Entwischte Worte sind beleidigte   1970

Vertraute – drum begrub ich mein Geheimnis,
Bis es die Zeit ans Licht hervorgewälzt.
Gewisse Dienste Königen zu leisten,
Ist mißlich, Herzog – ein gewagter Wurf,
Der, fehlt er seine Beute, auf den Schützen
Zurückeprallt – Ich wollte, was ich sage,
Auf eine Hostie beschwören – doch
Ein Augenzeugnis, ein erhaschtes Wort,
Ein Blatt Papier fällt schwerer in die Waage
Als mein lebendigstes Gefühl – Verwünscht,   1980
Daß wir auf span'schem Boden stehn!

Alba.   Warum
Auf diesem nicht?

Domingo.   An jedem andern Hofe
Kann sich die Leidenschaft vergessen. Hier
Wird sie gewarnt von ängstlichen Gesetzen.
Die span'schen Königinnen haben Müh'
Zu sündigen – ich glaub es – doch zum Unglück
Nur da – gerade *da* nur, wo es uns
Am besten glückte, sie zu überraschen.

Alba. Hören Sie weiter – Carlos hatte heut
Gehör beim König. Eine Stunde währte   1990
Die Audienz. Er bat um die Verwaltung
Der Niederlande. Laut und heftig bat er;
Ich hört' es in dem Kabinett. Sein Auge
War rot geweint, als ich ihm an der Türe
Begegnete. Den Mittag drauf erscheint er
Mit einer Miene des Triumphs. Er ist
Entzückt, daß mich der König vorgezogen.
Er dankt es ihm. Die Sachen stehen anders,
Sagt er, und besser. Heucheln konnt' er nie.
Wie soll ich diese Widersprüche reimen?   2000
Der Prinz frohlockt, hintangesetzt zu sein,
Und mir erteilt der König eine Gnade
Mit allen Zeichen seines Zorns! – Was muß
Ich glauben? Wahrlich, diese neue Würde
Sieht einer Landsverweisung ähnlicher
Als einer Gnade.

Domingo.   Dahin also wär' es
Gekommen? Dahin? Und ein Augenblick
Zertrümmerte, was wir in Jahren bauten? –
Und Sie so ruhig? so gelassen? – Kennen

Sie diesen Jüngling? Ahnen Sie, was uns   2010
Erwartet, wenn er mächtig wird? – Der Prinz –
– Ich bin sein Feind nicht. Andre Sorgen nagen
An meiner Ruhe, Sorgen für den Thron,
Für Gott und seine Kirche – Der Infant
(Ich kenn ihn – ich durchdringe seine Seele)
Hegt einen schrecklichen Entwurf – Toledo –
Den rasenden Entwurf, Regent zu sein
Und unsern heil'gen Glauben zu entbehren. –
Sein Herz entglüht für eine neue Tugend,
Die, stolz und sicher und sich selbst genug,   2020
Von keinem Glauben betteln will. – Er *denkt*!
Sein Kopf entbrennt von einer seltsamen
Schimäre – er verehrt den Menschen – Herzog,
Ob er zu unserm König taugt?

A l b a.   Phantomen!
Was sonst? Vielleicht auch jugendlicher Stolz,
Der eine Rolle spielen möchte. – Bleibt
Ihm eine andre Wahl? Das geht vorbei,
Trifft ihn einmal die Reihe, zu befehlen.

D o m i n g o. Ich zweifle. – Er ist stolz auf seine Freiheit,
Des Zwanges ungewohnt, womit man Zwang   2030
Zu kaufen sich bequemen muß – Taugt er
Auf unsern Thron? Der kühne Riesengeist
Wird unsrer Staatskunst Linien durchreißen.
Umsonst versucht' ich's, diesen trotz'gen Mut
In dieser Zeiten Wollust abzumatten;
Er überstand die Probe – Schrecklich ist
In diesem Körper dieser Geist – und Philipp
Wird sechzig Jahr alt.

A l b a.   Ihre Blicke reichen
Sehr weit.

D o m i n g o.   Er und die Königin sind eins.
Schon schleicht, verborgen zwar, in beider Brust   2040
Das Gift der Neuerer; doch bald genug,
Gewinnt es Raum, wird es den Thron ergreifen.
Ich kenne diese Valois. – Fürchten wir
Die ganze Rache dieser stillen Feindin,
Wenn Philipp Schwächen sich erlaubt. Noch ist
Das Glück uns günstig. Kommen wir zuvor.
In *eine* Schlinge stürzen beide. – Jetzt
Ein solcher Wink dem Könige gegeben,

ewiesen oder nicht bewiesen – viel
ist schon gewonnen, wenn er wankt. Wir selbst,   2050
Wir zweifeln beide nicht. Zu überzeugen
Fällt keinem Überzeugten schwer. Es kann
Nicht fehlen, wir entdecken mehr, sind wir
Vorher gewiß, daß wir entdecken müssen.

A l b a. Doch nun die wichtigste von allen Fragen!
Wer nimmt's auf sich, den König zu belehren?

D o m i n g o. Noch Sie, noch ich. Erfahren Sie also,
Was lange schon, des großen Planes voll,
Mein stiller Fleiß dem Ziele zugetrieben.
Noch mangelt, unser Bündnis zu vollenden,   2060
Die dritte, wichtigste Person – Der König
Liebt die Prinzessin Eboli. Ich nähre
Die Leidenschaft, die meinen Wünschen wuchert.
Ich bin sein Abgesandter – unserm Plane
Erzieh ich sie. – In dieser jungen Dame,
Gelingt mein Werk, soll eine Bundsverwandtin,
Soll eine Königin uns blühn. Sie selbst
Hat jetzt in dieses Zimmer mich berufen.
Ich hoffe alles – Jene Lilien
Von Valois zerknickt ein span'sches Mädchen   2070
Vielleicht in *einer* Mitternacht.

A l b a.   Was hör ich?
Ist's Wahrheit, was ich jetzt gehört? – Beim Himmel!
Das überrascht mich! Ja, *der* Streich vollendet!
Dominikaner, ich bewundre dich,
Jetzt haben wir gewonnen –

D o m i n g o.   Still! Wer kommt?
Sie ist's – sie selbst.

A l b a.   Ich bin im nächsten Zimmer,
Wenn man –

D o m i n g o. Schon recht. Ich rufe Sie.
          (Der Herzog von Alba geht ab.)

ELFTER AUFTRITT

Die Prinzessin. Domingo.

Domingo.　　　　　　　Zu Ihren
　Befehlen, gnäd'ge Fürstin.
Prinzessin *(dem Herzog neugierig nachsehend).*
　　　　　　　　　Sind wir etwa
　Nicht ganz allein? Sie haben, wie ich sehe,
　Noch einen Zeugen bei sich?
Domingo.　　　　　　Wie?
Prinzessin.　　　　　Wer war es,　　2080
　Der eben jetzt von Ihnen ging?
Domingo.　　　　　　Der Herzog
　Von Alba, gnäd'ge Fürstin, der nach mir
　Um die Erlaubnis bittet, vorgelassen
　Zu werden.
Prinzessin.　Herzog Alba? Was will der?
　Was kann er wollen? Wissen Sie vielleicht
　Es mir zu sagen?
Domingo.　　Ich? und eh' ich weiß,
　Was für ein Vorfall von Bedeutung mir
　Das langentbehrte Glück verschafft, der Fürstin
　Von Eboli mich wiederum zu nähern?
　(Pause, worin er ihre Antwort erwartet.)
　Ob sich ein Umstand endlich vorgefunden,　　2090
　Der für des Königs Wünsche spricht? ob ich
　Mit Grund gehofft, daß beßre Überlegung
　Mit einem Anerbieten Sie versöhnt,
　Das Eigensinn, das Laune bloß verworfen?
　Ich komme voll Erwartung –
Prinzessin.　　　　　Brachten Sie
　Dem König meine letzte Antwort?
Domingo.　　　　　　Noch
　Verschob ich's, ihn so tödlich zu verwunden.
　Noch, gnäd'ge Fürstin, ist es Zeit. Es steht
　Bei Ihnen, sie zu mildern.
Prinzessin.　　　　　Melden Sie
　Dem König, daß ich ihn erwarte.
Domingo.　　　　　　Darf　　2100
　Ich das für Wahrheit nehmen, schöne Fürstin?
Prinzessin.
　Für Scherz doch nicht? Bei Gott! Sie machen mir

Ganz bange – Wie? Was hab ich denn getan,
Wenn sogar Sie – Sie selber sich entfärben?
D o m i n g o. Prinzessin, diese Überraschung – kaum
Kann ich es fassen –
P r i n z e s s i n.   Ja, hochwürd'ger Herr,
Das sollen Sie auch nicht. Um alle Güter
Der Welt möcht' ich nicht haben, daß Sie's faßten.
Genug für Sie, daß es so ist. Ersparen
Sie sich die Mühe, zu ergrübeln, wessen   2110
Beredsamkeit Sie diese Wendung danken.
Zu Ihrem Trost setz ich hinzu: *Sie* haben
Nicht teil an dieser Sünde. Auch wahrhaftig
Die Kirche nicht; obschon Sie mir bewiesen,
Daß Fälle möglich wären, wo die Kirche
Sogar die *Körper* ihrer jungen Töchter
Für höhre Zwecke zu gebrauchen wüßte.
Auch diese nicht – Dergleichen fromme Gründe,
Ehrwürd'ger Herr, sind mir zu hoch –
D o m i n g o.   Sehr gerne,
Prinzessin, nehm ich sie zurück, sobald   2120
Sie überflüssig waren.
P r i n z e s s i n.   Bitten Sie
Von meinetwegen den Monarchen, ja
In dieser Handlung mich nicht zu verkennen.
Was ich gewesen, bin ich noch. Die Lage
Der Dinge nur hat seitdem sich verwandelt.
Als ich sein Anerbieten mit Entrüstung
Zurückestieß, da glaubt' ich im Besitze
Der schönsten Königin ihn *glücklich* – glaubte
Die treue Gattin meines Opfers wert.
Das glaubt' ich damals – damals. Freilich jetzt,   2130
Jetzt weiß ich's besser.
D o m i n g o.   Fürstin, weiter, weiter.
Ich hör es, wir verstehen uns.
P r i n z e s s i n.   Genug,
Sie ist erhascht. Ich schone sie nicht länger.
Die schlaue Diebin ist erhascht. Den König,
Ganz Spanien und mich hat sie betrogen.
Sie liebt. Ich weiß es, daß sie liebt. Ich bringe
Beweise, die sie zittern machen sollen.
Der König ist betrogen – doch bei Gott!
Er sei es ungerochen nicht. Die Larve

Erhabner, übermenschlicher Entsagung
Reiß ich ihr ab, daß alle Welt die Stirne
Der Sünderin erkennen soll. Es kostet
Mich einen ungeheuern Preis, doch – das
Entzückt mich, das ist mein Triumph – doch *sie*
Noch einen größern.
D o m i n g o.   Nun ist alles reif.
Erlauben Sie, daß ich den Herzog rufe. *(Er geht hinaus.)*
P r i n z e s s i n *(erstaunt).*
Was wird das?

ZWÖLFTER AUFTRITT

Die Prinzessin. Herzog Alba. Domingo.

D o m i n g o *(der den Herzog hereinführt).*
          Unsre Nachricht, Herzog Alba,
Kommt hier zu spät. Die Fürstin Eboli
Entdeckt uns ein Geheimnis, das sie eben
Von uns erfahren sollte.
A l b a.   Mein Besuch   2150
Wird dann um so viel minder sie befremden.
Ich traue *meinen* Augen nicht. Dergleichen
Entdeckungen verlangen Weiberblicke.
P r i n z e s s i n. Sie sprechen von Entdeckungen? –
D o m i n g o.   Wir wünschten
Zu wissen, gnäd'ge Fürstin, welchen Ort
Und welche beßre Stunde Sie –
P r i n z e s s i n.   Auch das!
So will ich morgen mittag Sie erwarten.
Ich habe Gründe, dieses strafbare
Geheimnis länger nicht zu bergen – es
Nicht länger mehr dem König zu entziehn.   2160
A l b a. Das war es, was mich hergeführt. Sogleich
Muß der Monarch es wissen. Und durch Sie,
Durch *Sie*, Prinzessin, muß er das. Wem sonst,
Wem sollt' er lieber glauben als der strengen,
Der wachsamen Gespielin seines Weibes?
D o m i n g o. Wem mehr, als Ihnen, die, sobald sie will,
Ihn unumschränkt beherrschen kann?
A l b a.   Ich bin
Erklärter Feind des Prinzen.

Domingo.   Eben das
Ist man gewohnt von mir vorauszusetzen.
Die Fürstin Eboli ist frei. Wo *wir*   2170
Verstummen müssen, zwingen Pflichten Sie,
Zu reden, Pflichten Ihres Amts. Der König
Entflieht uns nicht, wenn Ihre Winke wirken,
Und dann vollenden wir das Werk.
Alba.   Doch bald,
Gleich jetzt muß das geschehn. Die Augenblicke
Sind kostbar. Jede nächste Stunde kann
Mir den Befehl zum Abmarsch bringen –
Domingo *(sich nach einigem Überlegen zur Fürstin keh-*
rend).   Ob
Sich Briefe finden ließen? Briefe freilich
Von dem Infanten, aufgefangen, müßten
Hier Wirkung tun. – Laß sehen – Nicht wahr? – Ja.   2180
Sie schlafen doch – so deucht mir – in demselben
Gemache mit der Königin?
Prinzessin.   Zunächst
An diesem. – Doch was soll mir das?
Domingo.   Wer sich
Auf Schlösser gut verstünde – Haben Sie
Bemerkt, wo sie den Schlüssel zur Schatulle
Gewöhnlich zu bewahren pflegt?
Prinzessin *(nachdenkend).*   Das könnte
Zu etwas führen – Ja – der Schlüssel wäre
Zu finden, denk ich –
Domingo.   Briefe wollen Boten – –
Der Königin Gefolg' ist groß – – Wer hier
Auf eine Spur geraten könnte! – – Gold   2190
Vermag zwar viel –
Alba.   Hat niemand wahrgenommen,
Ob der Infant Vertraute hat?
Domingo.   Nicht *einen,*
In ganz Madrid nicht *einen.*
Alba.   Das ist seltsam.
Domingo. Das dürfen Sie mir glauben; er verachtet
Den ganzen Hof; ich habe meine Proben.
Alba. Doch wie? Hier eben fällt mir ein, als ich
Von dem Gemach der Königin herauskam,
Stand der Infant bei einer ihrer Pagen;
Sie sprachen heimlich –

Prinzessin *(rasch einfallend).*
              Nicht doch! Nein! Das war –
Das war von etwas anderm.
Domingo.   Können *wir*   2200
Das wissen? – Nein, der Umstand ist verdächtig –
(Zum Herzog.) Und kannten Sie den Pagen?
Prinzessin.   Kinderpossen!
Was wird's auch sonst gewesen sein? Genug,
Ich kenne das. – Wir sehn uns also wieder,
Eh' ich den König spreche. – Unterdessen
Entdeckt sich viel.
Domingo *(sie auf die Seite führend).*
           Und der Monarch darf hoffen?
Ich darf es ihm verkündigen? Gewiß?
Und welche schöne Stunde seinen Wünschen
Erfüllung endlich bringen wird? Auch dies?
Prinzessin.
In ein'gen Tagen werd ich krank; man trennt mich   2210
Von der Person der Königin – das ist
An unserm Hofe Sitte, wie Sie wissen.
Ich bleibe dann auf meinem Zimmer.
Domingo.   Glücklich.
Gewonnen ist das große Spiel. Trotz sei
Geboten allen Königinnen –
Prinzessin.   Horch!
Man fragt nach mir – die Königin verlangt mich.
Auf Wiedersehen. *(Sie eilt ab.)*

DREIZEHNTER AUFTRITT

Alba. Domingo.

Domingo *(nach einer Pause, worin er die Prinzessin mit
den Augen begleitet hat).*
           Herzog, diese Rosen –
Und Ihre Schlachten –
Alba.   Und dein Gott – so will ich
Den Blitz erwarten, der uns stürzen soll!
          (Sie gehen ab.)

In einem Kartäuserkloster.

VIERZEHNTER AUFTRITT

Don Carlos. Der Prior.

C a r l o s *(zum Prior, indem er hereintritt).*
  Schon dagewesen also? – Das beklag ich.   2220
P r i o r. Seit heute morgen schon das drittemal.
  Vor einer Stunde ging er weg –
C a r l o s.   Er will
  Doch wiederkommen? Hinterließ er nicht?
P r i o r. Vor Mittag noch, versprach er.
C a r l o s *(an ein Fenster und sich in der Gegend umse-*
  hend).   Euer Kloster
  Liegt weitab von der Straße – Dorthin zu
  Sieht man noch Türme von Madrid. – Ganz recht,
  Und hier fließt der Mansanares – Die Landschaft
  Ist, wie ich sie mir wünsche. – Alles ist
  Hier still, wie ein Geheimnis.
P r i o r.   Wie der Eintritt
  Ins andre Leben.
C a r l o s.   Eurer Redlichkeit,   2230
  Hochwürd'ger Herr, hab ich mein Kostbarstes,
  Mein Heiligstes vertraut. Kein Sterblicher
  Darf wissen oder nur vermuten, *wen*
  Ich hier gesprochen und *geheim.* Ich habe
  Sehr wicht'ge Gründe, vor der ganzen Welt
  Den Mann, den ich erwarte, zu verleugnen;
  Drum wählt' ich dieses Kloster. Vor Verrätern,
  Vor Überfall sind wir doch sicher? Ihr
  Besinnt Euch noch, was Ihr mir zugeschworen?
P r i o r.
  Vertrauen Sie uns, gnäd'ger Herr. Der Argwohn   2240
  Der Könige wird *Gräber* nicht durchsuchen.
  Das Ohr der Neugier liegt nur an den Türen
  Des Glückes und der Leidenschaft. Die Welt
  Hört auf in diesen Mauern.
C a r l o s.   Denkt Ihr etwa,
  Daß hinter diese Vorsicht, diese Furcht
  Ein schuldiges Gewissen sich verkrieche?
P r i o r. Ich denke nichts.
C a r l o s.   Ihr irrt Euch, frommer Vater,

Ihr irrt Euch wahrlich. Mein Geheimnis zittert
Vor Menschen, aber nicht vor Gott.
P r i o r.   Mein Sohn,
Das kümmert *uns* sehr wenig. Diese Freistatt   2250
Steht dem Verbrechen offen wie der Unschuld.
Ob, was du vorhast, gut ist oder übel,
Rechtschaffen oder lasterhaft – das mache
Mit deinem eignen Herzen aus.
C a r l o s *(mit Wärme).*   Was wir
Verheimlichen, kann euern Gott nicht schänden.
Es ist sein eignes, schönstes Werk – Zwar Euch,
Euch kann ich's wohl entdecken.
P r i o r.   Zu was Ende?
Erlassen Sie mir's lieber, Prinz. Die Welt
Und ihr Geräte liegt schon lange Zeit
Versiegelt da auf jene große Reise.   2260
Wozu die kurze Frist vor meinem Abschied
Noch einmal es erbrechen? – Es ist wenig,
Was man zur Seligkeit bedarf – Die Glocke
Zur Hora lautet. Ich muß beten gehn.
(Der Prior geht ab.)

FÜNFZEHNTER AUFTRITT

Don Carlos. Der Marquis von Posa tritt herein.

C a r l o s. Ach endlich einmal, endlich –
M a r q u i s.   Welche Prüfung
Für eines Freundes Ungeduld! Die Sonne
Ging zweimal auf und zweimal unter, seit
Das Schicksal meines Carlos sich entschieden,
Und jetzt, erst jetzt werd ich es hören – Sprich,
Ihr seid versöhnt?
C a r l o s.   Wer?
M a r q u i s.   Du und König Philipp;   2270
Und auch mit Flandern ist's entschieden?
C a r l o s.   Daß
Der Herzog morgen dahin reist? – Das ist
Entschieden, ja.
M a r q u i s.   Das kann nicht sein. Das ist nicht.
Soll ganz Madrid belogen sein? Du hattest
Geheime Audienz, sagt man. Der König –

Carlos. Blieb unbewegt. Wir sind getrennt auf immer,
  Und mehr, als wir's schon waren –
Marquis.   Du gehst *nicht*
  Nach Flandern?
Carlos.   Nein! Nein! Nein!
Marquis.   O meine Hoffnung!
Carlos. Das nebenbei. O Roderich, seitdem
  Wir uns verließen, was hab ich erlebt!   2280
  Doch jetzt vor allem deinen Rat! Ich muß
  Sie sprechen –
Marquis.   Deine Mutter? – Nein! – Wozu?
Carlos. Ich habe Hoffnung – Du wirst blaß? Sei ruhig.
  Ich soll und werde glücklich sein – Doch davon
  Ein andermal. Jetzt schaffe Rat, wie ich
  Sie sprechen kann –
Marquis.   Was soll das? Worauf gründet
  Sich dieser neue Fiebertraum?
Carlos.   Nicht Traum!
  Beim wundervollen Gott nicht! – Wahrheit, Wahrheit!
  (Den Brief des Königs an die Fürstin Eboli hervorziehend.)
  In diesem wichtigen Papier enthalten!
  Die Königin ist *frei*; vor Menschenaugen,   2290
  Wie vor des Himmels Augen frei. Da lies
  Und höre auf, dich zu verwundern.
Marquis *(den Brief eröffnend).*   Was?
  Was seh ich? Eigenhändig vom Monarchen?
  (Nachdem er es gelesen.)
  An wen ist dieser Brief?
Carlos.   An die Prinzessin
  Von Eboli. – Vorgestern bringt ein Page
  Der Königin von unbekannten Händen
  Mir einen Brief und einen Schlüssel. Man
  Bezeichnet mir im linken Flügel des
  Palastes, den die Königin bewohnt,
  Ein Kabinett, wo eine Dame mich   2300
  Erwarte, die ich längst geliebt. Ich folge
  Sogleich dem Winke –
Marquis.   Rasender, du folgst?
Carlos. Ich kenne ja die Handschrift nicht – Ich kenne
  Nur *eine* solche Dame. Wer als *sie*
  Wird sich von Carlos angebetet wähnen?
  Voll süßen Schwindels flieg ich nach dem Platze;

Ein göttlicher Gesang, der aus dem Innern
Des Zimmers mir entgegenschallt, dient mir
Zum Führer – ich eröffne das Gemach –
Und wen entdeck ich? – Fühle mein Entsetzen!   2310
Marquis. Oh, ich errate alles.
Carlos.   Ohne Rettung
War ich verloren, Roderich, wär' ich
In eines Engels Hände nicht gefallen.
Welch unglücksel'ger Zufall! Hintergangen
Von meiner Blicke unvorsicht'ger Sprache,
Gab sie der süßen Täuschung sich dahin,
Sie selber sei der Abgott dieser Blicke.
Gerührt von meiner Seele stillen Leiden,
Beredet sich großmütig-unbesonnen
Ihr weiches Herz, mir Liebe zu erwidern.   2320
Die Ehrfurcht schien mir Schweigen zu gebieten;
Sie hat die Kühnheit, es zu brechen – offen
Liegt ihre schöne Seele mir –
Marquis.   So ruhig
Erzählst du das? – Die Fürstin Eboli
Durchschaute dich. Kein Zweifel mehr, sie drang
In deiner Liebe innerstes Geheimnis.
Du hast sie schwer beleidigt. Sie beherrscht
Den König.
Carlos *(zuversichtlich)*.   Sie ist tugendhaft.
Marquis.   Sie ist's
Aus Eigennutz der Liebe – Diese Tugend,
Ich fürchte sehr, ich kenne sie – wie wenig   2330
Reicht sie empor zu jenem Ideale,
Das aus der Seele mütterlichem Boden,
In stolzer, schöner Grazie empfangen,
Freiwillig sproßt und ohne Gärtners Hilfe
Verschwenderische Blüten treibt! Es ist
Ein fremder Zweig, mit nachgeahmtem Süd
In einem rauhern Himmelsstrich getrieben;
Erziehung, Grundsatz, nenn es wie du willst,
Erworbne Unschuld, dem erhitzten Blut
Durch List und schwere Kämpfe abgerungen,   2340
Dem Himmel, der sie fordert und bezahlt,
Gewissenhaft, sorgfältig angeschrieben.
Erwäge selbst. Wird sie der Königin
Es je vergeben können, daß ein Mann

        An ihrer eignen, schwer erkämpften Tugend
        Vorüberging, sich für Don Philipps Frau
        In hoffnungslosen Flammen zu verzehren?
Carlos. Kennst du die Fürstin so genau?
Marquis.   Gewiß nicht.
        Kaum daß ich zweimal sie gesehn. Doch nur
        Ein Wort laß mich noch sagen: Mir kam vor,   2350
        Daß sie geschickt des Lasters Blößen mied,
        Daß sie sehr gut um ihre Tugend wußte.
        Dann sah ich auch die Königin – O Karl,
        Wie anders alles, was ich hier bemerkte!
        In angeborner stiller Glorie,
        Mit sorgenlosem Leichtsinn, mit des Anstands
        Schulmäßiger Berechnung unbekannt,
        Gleich ferne von Verwegenheit und Furcht,
        Mit festem Heldenschritte wandelt sie
        Die schmale Mittelbahn des Schicklichen,   2360
        Unwissend, daß sie Anbetung erzwungen,
        Wo sie von eignem Beifall nie geträumt.
        Erkennt mein Karl auch hier in diesem Spiegel,
        Auch jetzt noch seine Eboli? – Die Fürstin
        Blieb standhaft, weil sie liebte; Liebe war
        In ihre Tugend wörtlich einbedungen.
        Du hast sie nicht belohnt – sie fällt.
Carlos (mit einiger Heftigkeit).   Nein! Nein!
        (Nachdem er heftig auf und nieder gegangen.)
        Nein, sag ich dir – O wüßte Roderich,
        Wie trefflich es ihn kleidet, seinem Karl
        Der Seligkeiten göttlichste, den Glauben   2370
        An menschliche Vortrefflichkeit, zu stehlen!
Marquis. Verdien ich das? – Nein, Liebling meiner Seele,
        Das wollt' ich nicht, bei Gott im Himmel nicht! –
        O diese Eboli – sie wär' ein Engel,
        Und ehrerbietig, wie du selbst, stürzt' ich
        Vor ihrer Glorie mich nieder, hätte
        Sie – dein Geheimnis nicht erfahren.
Carlos.   Sieh,
        Wie eitel deine Furcht ist! Hat sie andre
        Beweise wohl, als die sie selbst beschämen?
        Wird sie der Rache trauriges Vergnügen   2380
        Mit ihrer Ehre kaufen?
Marquis.   Ein Erröten

Zurückzunehmen, haben manche schon
Der Schande sich geopfert.
C a r l o s (*mit Heftigkeit aufstehend*).   Nein, das ist
Zu hart, zu grausam. Sie ist stolz und edel;
Ich kenne sie und fürchte nichts. Umsonst
Versuchst du, meine Hoffnungen zu schrecken.
Ich spreche meine Mutter.
M a r q u i s.   Jetzt! Wozu?
C a r l o s. Ich habe nun nichts mehr zu schonen – muß
Mein Schicksal wissen. Sorge nur, wie ich
Sie sprechen kann.
M a r q u i s.   Und diesen Brief willst du   2390
Ihr zeigen? Wirklich willst du das?
C a r l o s.   Befrage
Mich darum nicht. Das Mittel jetzt, das Mittel,
Daß ich sie spreche!
M a r q u i s (*mit Bedeutung*).   Sagtest du mir nicht,
Du *liebtest* deine Mutter? – Du bist willens,
Ihr diesen Brief zu zeigen?
        (*Carlos sieht zur Erde und schweigt.*)
                    Karl, ich lese
In deinen Mienen etwas – mir ganz neu –
Ganz fremd bis diesen Augenblick – Du wendest
Die Augen von mir? *Warum* wendest du
Die Augen von mir? So ist's wahr? – Ob ich
Denn wirklich recht gelesen? Laß doch sehn –   2400
(*Carlos gibt ihm den Brief. Der Marquis zerreißt ihn.*)
C a r l o s. Was, bist du rasend?
(*Mit gemäßigter Empfindlichkeit.*)
                    Wirklich – ich gesteh es –
An diesem Briefe lag mir viel.
M a r q u i s.   So schien es.
(*Der Marquis ruht mit einem durchdringenden Blick auf
dem Prinzen, der ihn zweifelhaft ansieht. Langes Stillschwei-
gen.*)
                Sprich doch – was haben
Entweihungen des königlichen Bettes
Mit deiner – deiner Liebe denn zu schaffen?
War Philipp dir gefährlich? Welches Band
Kann die verletzten Pflichten des Gemahls
Mit deinen kühnern Hoffnungen verknüpfen?

Hat er gesündigt, wo du liebst? Nun freilich
Lern ich dich fassen. O wie schlecht hab ich   2410
Bis jetzt auf deine Liebe mich verstanden!

C a r l o s. Wie, Roderich? Was glaubst du?

M a r q u i s.   Oh, ich fühle,
Wovon ich mich entwöhnen muß. Ja einst,
Einst war's ganz anders. Da warst du so reich,
So warm, so reich! ein ganzer Weltkreis hatte
In deinem weiten Busen Raum. Das alles
Ist nun dahin, von *einer* Leidenschaft,
Von einem kleinen Eigennutz verschlungen.
Dein Herz ist ausgestorben. Keine Träne
Dem ungeheuern Schicksal der Provinzen,   2420
Nicht einmal eine Träne mehr – O Karl,
Wie arm bist du, wie bettelarm geworden,
Seitdem du niemand liebst als dich!

C a r l o s *(wirft sich in einen Sessel. – Nach einer Pause mit
kaum unterdrücktem Weinen).*   Ich weiß,
Daß du mich nicht mehr achtest.

M a r q u i s.   Nicht so, Karl!
Ich kenne diese Aufwallung. Sie war
Verirrung lobenswürdiger Gefühle.
Die Königin gehörte dir, war dir
Geraubt von dem Monarchen – doch bis jetzt
Mißtrautest du bescheiden deinen Rechten.
Vielleicht war Philipp ihrer wert. Du wagtest   2430
Nur leise noch, das Urteil ganz zu sprechen.
Der Brief entschied. Der Würdige warst du.
Mit stolzer Freude sahst du nun das Schicksal
Der Tyrannei, des Raubes überwiesen.
Du jauchztest, der Beleidigte zu sein;
Denn Unrecht leiden schmeichelt großen Seelen.
Doch hier verirrte deine Phantasie,
Dein Stolz empfand *Genugtuung* – dein Herz
Versprach sich *Hoffnung*. Sieh, ich wußt' es wohl,
Du hattest diesmal selbst dich mißverstanden.   2440

C a r l o s *(gerührt).*
Nein, Roderich, du irrest sehr. Ich dachte
So edel nicht, bei weitem nicht, als du
Mich gerne glauben machen möchtest.

M a r q u i s.   Bin
Ich denn so wenig hier bekannt? Sieh, Karl,

Wenn du verirrest, such ich allemal
Die Tugend unter Hunderten zu raten,
Die ich des Fehlers zeihen kann. Doch nun
Wir besser uns verstehen, sei's! Du sollst
Die Königin jetzt sprechen, mußt sie sprechen. –
Carlos *(ihm um den Hals fallend).*
O wie erröt ich neben dir!
Marquis.   Du hast   2450
Mein Wort. Nun überlaß mir alles andre.
Ein wilder, kühner, glücklicher Gedanke
Steigt auf in meiner Phantasie – Du sollst
Ihn hören, Karl, aus einem schönern Munde.
Ich dränge mich zur Königin. Vielleicht,
Daß morgen schon der Ausgang sich erwiesen.
Bis dahin, Karl, vergiß nicht, daß »ein Anschlag,
Den höhere Vernunft gebar, das Leiden
Der Menschheit drängt, zehntausendmal vereitelt,
Nie aufgegeben werden darf« – Hörst du?   2460
Erinnre dich an Flandern!
Carlos.   Alles, alles,
Was *du* und hohe Tugend mir gebieten.
Marquis *(geht an ein Fenster).*
Die Zeit ist um. Ich höre dein Gefolge.
            (Sie umarmen sich.)
Jetzt wieder Kronprinz und Vasall.
Carlos.   Du fährst
Sogleich zur Stadt?
Marquis.   Sogleich.
Carlos.   Halt! noch ein Wort!
Wie leicht war das vergessen! – Eine Nachricht,
Dir äußerst wichtig: – Briefe nach Brabant
Erbricht der König. Sei auf deiner Hut!
Die Post des Reichs, ich weiß es, hat geheime
Befehle –
Marquis. Wie erfuhrst du das?
Carlos.   Don Raimond   2470
Von Taxis ist mein guter Freund.
Marquis *(nach einigem Stillschweigen).*   Auch das!
So nehmen sie den Umweg über Deutschland!
        (Sie gehen ab zu verschiedenen Türen.)

DRITTER AKT

Das Schlafzimmer des Königs.

ERSTER AUFTRITT

*(Auf dem Nachttische zwei brennende Lichter. Im Hinter-
grunde des Zimmers einige Pagen auf den Knien, eingeschla-
fen. Der König, von oben herab halb ausgekleidet, steht vor
dem Tische, einen Arm über den Sessel gebeugt, in einer
nachdenkenden Stellung. Vor ihm liegt ein Medaillon und
Papiere.)*

K ö n i g. Daß sie sonst Schwärmerin gewesen – wer
Kann's leugnen? Nie konnt' *ich* ihr Liebe geben,
Und dennoch – schien sie Mangel je zu fühlen?
So ist's erwiesen, sie ist falsch.
*(Hier macht er eine Bewegung, die ihn zu sich selbst
bringt. Er sieht mit Befremdung auf.)* Wo war ich?
Wacht denn hier niemand als der König? – Was?
Die Lichter schon herabgebrannt? doch nicht
Schon Tag? – Ich bin um meinen Schlummer. Nimm
Ihn für empfangen an, Natur. Ein König hat   2480
Nicht Zeit, verlorne Nächte nachzuholen;
Jetzt bin ich wach, und Tag soll sein.
*(Er löscht die Lichter aus und öffnet eine Fenstergardine.
– Indem er auf und nieder geht, bemerkt er die schlafenden
Knaben und bleibt eine Zeitlang schweigend vor ihnen
stehen; darauf zieht er die Glocke.)* Schläft's irgend
Vielleicht in meinem Vorsaal auch?

ZWEITER AUFTRITT

Der König. Graf Lerma.

L e r m a *(mit Bestürzung, da er den König gewahr wird).*
                                        Befinden
Sich Ihro Majestät nicht wohl?
K ö n i g.   Im linken
Pavillon war Feuer. Hörtet Ihr
Den Lärmen nicht?

L e r m a.   Nein, Ihro Majestät.
K ö n i g. Nein? Wie? Und also hätt' ich nur geträumt?
   Das kann von Ohngefähr nicht kommen. Schläft
   Auf jenem Flügel nicht die Königin?
L e r m a. Ja, Ihro Majestät.
K ö n i g.   Der Traum erschreckt mich.
   Man soll die Wachen künftig dort verdoppeln,   2491
   Hört Ihr? sobald es Abend wird – doch ganz,
   Ganz insgeheim. – Ich will nicht haben, daß –
   Ihr prüft mich mit den Augen.
L e r m a.   Ich entdecke
   Ein brennend Auge, das um Schlummer bittet.
   Darf ich es wagen, Ihro Majestät
   An ein kostbares Leben zu erinnern,
   An Völker zu erinnern, die die Spur
   Durchwachter Nacht mit fürchtender Befremdung
   In solchen Mienen lesen würden – Nur   2500
   Zwei kurze Morgenstunden Schlafes –
K ö n i g *(mit zerstörten Blicken).*   Schlaf?
   Schlaf find ich in Escurial – Solange
   Der König schläft, ist er um seine Krone,
   Der Mann um seines Weibes Herz – Nein, nein!
   Es ist Verleumdung – War es nicht ein Weib,
   Ein Weib, das mir es flüsterte? Der Name
   Des Weibes heißt Verleumdung. Das Verbrechen
   Ist nicht gewiß, bis mir's ein Mann bekräftigt.
   (Zu den Pagen, welche sich unterdessen ermuntert haben.)
   Ruft Herzog Alba!

              (Pagen gehen.)
                Tretet näher, Graf!
   Ist's wahr? *(Er bleibt forschend vor dem Grafen stehen.)*
            Oh, eines Pulses Dauer nur   2510
   Allwissenheit! – Schwört mir, ist's wahr? Ich bin
   Betrogen? Bin ich's? Ist es wahr?
L e r m a.   Mein großer,
   Mein bester König –
K ö n i g *(zurückfahrend).* König! König nur,
   Und wieder König! – Keine beßre Antwort
   Als leeren, hohlen Widerhall? Ich schlage
   An diesen Felsen und will Wasser, Wasser
   Für meinen heißen Fieberdurst – er gibt
   Mir glühend Gold.

L e r m a.   Was wäre wahr, mein König?
K ö n i g. Nichts. Nichts. Verlaßt mich. Geht.
(Der Graf will sich entfernen, er ruft ihn noch einmal zu-
rück.)
                                        Ihr seid vermählt?

    Seid Vater? Ja?
L e r m a.   Ja, Ihro Majestät.   2520
K ö n i g. Vermählt und könnt es wagen, eine Nacht
    Bei Eurem Herrn zu wachen? Euer Haar
    Ist silbergrau, und Ihr errötet nicht,
    An Eures Weibes Redlichkeit zu glauben?
    O geht nach Hause. Eben trefft Ihr sie
    In Eures Sohns blutschändrischer Umarmung.
    Glaubt Eurem König, geht – Ihr steht bestürzt?
    Ihr seht mich mit Bedeutung an? – weil ich,
    Ich selber etwa graue Haare trage?
    Unglücklicher, besinnt Euch. Königinnen   2530
    Beflecken ihre Tugend nicht. Ihr seid
    Des Todes, wenn Ihr zweifelt –
L e r m a *(mit Hitze).*   Wer kann das?
    In allen Staaten meines Königs wer
    Ist frech genug, mit giftigem Verdacht
    Die engelreine Tugend anzuhauchen?
    Die beste Königin so tief –
K ö n i g.   Die beste?
    Und Eure beste also auch? Sie hat
    Sehr warme Freunde um mich her, find ich.
    Das muß ihr viel gekostet haben – mehr,
    Als mir bekannt ist, daß sie geben kann.   2540
    Ihr seid entlassen. Laßt den Herzog kommen.
L e r m a. Schon hör ich ihn im Vorsaal – *(Im Begriff zu*
gehen.)
K ö n i g *(mit gemildertem Tone).*   Graf – Was Ihr
    Vorhin bemerkt, ist doch wohl wahr gewesen.
    Mein Kopf glüht von durchwachter Nacht. – Vergeßt,
    Was ich im wachen Traum gesprochen. Hört Ihr?
    Vergeßt es. Ich bin Euer gnäd'ger König.
(Er reicht ihm die Hand zum Kusse. Lerma geht und öffnet
dem Herzog von Alba die Türe.)

DRITTER AUFTRITT

Der König und Herzog von Alba.

A l b a *(nähert sich dem Könige mit ungewisser Miene).*
Ein mir so überraschender Befehl –
Zu dieser außerordentlichen Stunde?
(Er stutzt, wie er den König genauer betrachtet.)
Und dieser Anblick –
K ö n i g *(hat sich niedergesetzt und das Medaillon auf dem*
Tische ergriffen. Er sieht den Herzog eine lange Zeit still-
schweigend an).   Also wirklich wahr?
Ich habe keinen treuen Diener?
A l b a *(steht betreten still).*   Wie?   2550
K ö n i g. Ich bin aufs tödlichste gekränkt – man weiß es,
Und niemand, der mich warnte!
A l b a *(mit einem Blick des Erstaunens).*   Eine Kränkung,
Die meinem König gilt und meinem Aug'
Entging?
K ö n i g *(zeigt ihm die Briefe).*
          Erkennt Ihr diese Hand?
A l b a.   Es ist
Don Carlos' Hand –
K ö n i g *(Pause, worin er den Herzog scharf beobachtet).*
                Vermutet Ihr noch nichts?
Ihr habt vor seinem Ehrgeiz mich gewarnt?
War's nur sein Ehrgeiz, dieser nur, wovor
Ich zittern sollte?
A l b a.   Ehrgeiz ist ein großes –
Ein weites Wort, worin unendlich viel
Noch liegen kann.
K ö n i g.   Und wißt Ihr nichts besonders   2560
Mir zu entdecken?
A l b a *(nach einigem Stillschweigen mit verschlossener*
Miene).   Ihro Majestät
Vertrauten meiner Wachsamkeit das Reich.
Dem Reiche bin ich mein geheimstes Wissen
Und meine Einsicht schuldig. Was ich sonst
Vermute, denke oder weiß, gehört
Mir eigen zu. Es sind geheiligte
Besitzungen, die der verkaufte Sklave,
Wie der Vasall, den Königen der Erde
Zurückzuhalten Vorrecht hat. – Nicht alles,

Was klar vor *meiner* Seele steht, ist reif   2570
Genug für meinen König. Will er doch
Befriedigt sein, so muß ich bitten, nicht
Als Herr zu fragen.
K ö n i g *(gibt ihm die Briefe).* Lest.
A l b a *(liest und wendet sich erschrocken gegen den König).*
                                        Wer war
Der Rasende, dies unglücksel'ge Blatt
In meines Königs Hand zu geben?
K ö n i g.   Was?
So wißt Ihr, wen der Inhalt meint? – Der Name
Ist, wie ich weiß, auf dem Papier vermieden.
A l b a *(betroffen zurücktretend).*
Ich war zu schnell.
K ö n i g.   Ihr wißt?
A l b a *(nach einigem Bedenken).* Es ist heraus.
Mein Herr befiehlt – ich darf nicht mehr zurücke –
Ich leugn' es nicht – ich kenne die Person.   2580
K ö n i g *(aufstehend in einer schrecklichen Bewegung).*
O einen neuen Tod hilf mir erdenken,
Der Rache fürchterlicher Gott! – So klar,
So weltbekannt, so laut ist das Verständnis,
Daß man, des Forschens Mühe überhoben,
Schon auf den ersten Blick es rät – Das ist
Zu viel! Das hab ich nicht gewußt! Das nicht!
Ich also bin der letzte, der es findet!
Der letzte durch mein ganzes Reich –
A l b a *(wirft sich dem König zu Füßen).* Ja, ich bekenne
Mich schuldig, gnädigster Monarch. Ich schäme
Mich einer feigen Klugheit, die mir da   2590
Zu schweigen riet, wo meines Königs Ehre,
Gerechtigkeit und Wahrheit laut genug
Zu reden mich bestürmten – Weil doch alles
Verstummen will – weil die Bezauberung
Der Schönheit aller Männer Zungen bindet,
So sei's gewagt, ich rede; weiß ich gleich,
Daß eines Sohns einschmeichelnde Beteurung,
Daß die verführerischen Reizungen,
Die Tränen der Gemahlin –
K ö n i g *(rasch und heftig).* Stehet auf.
Ihr habt mein königliches Wort – Steht auf.   2600
Sprecht unerschrocken.

A l b a *(aufstehend).*   Ihro Majestät
   Besinnen sich vielleicht noch jenes Vorfalls
   Im Garten zu Aranjuez. Sie fanden
   Die Königin von allen ihren Damen
   Verlassen – mit zerstörtem Blick – allein
   In einer abgelegnen Laube.
K ö n i g.   Ha!
   Was werd ich hören? Weiter!
A l b a.   Die Marquisin
   Von Mondecar ward aus dem Reich verbannt,
   Weil sie Großmut genug besaß, sich schnell
   Für ihre Königin zu opfern – Jetzt   2610
   Sind wir berichtet – Die Marquisin hatte
   Nicht mehr getan, als ihr befohlen worden. –
   Der Prinz war dort gewesen.
K ö n i g *(schrecklich auffahrend).*   Dort gewesen!
   Doch also –
A l b a.   Eines Mannes Spur im Sande,
   Die von dem linken Eingang dieser Laube
   Nach einer Grotte sich verlor, wo noch
   Ein Schnupftuch lag, das der Infant vermißte,
   Erweckte gleich Verdacht. Ein Gärtner hatte   *(war)*
   Dem Prinzen dort begegnet, und das war,
   Beinah auf die Minute ausgerechnet,   2620
   Dieselbe Zeit, wo Eure Majestät
   Sich in der Laube zeigten.
K ö n i g *(aus einem finstern Nachsinnen zurückkommend).*
                          Und sie weinte,
   Als ich Befremdung blicken ließ! Sie machte
   Vor meinem ganzen Hofe mich erröten!
   Erröten vor mir selbst – Bei Gott! ich stand
   Wie ein Gerichteter vor ihrer Tugend – *(Eine lange und
   tiefe Stille. Er setzt sich nieder und verhüllt das Gesicht.)*
   Ja, Herzog Alba – Ihr habt recht – Das könnte
   Zu etwas Schrecklichem mich führen – Laßt
   Mich einen Augenblick allein.
A l b a.   Mein König,
   Selbst das entscheidet noch nicht ganz –
K ö n i g *(nach den Papieren greifend).*   Auch das nicht?
   Und das? Und wieder das? Und dieser laute   2631
   Zusammenklang verdammender Beweise?
   Oh, es ist klärer als das Licht – Was ich

Schon lange Zeit vorausgewußt – Der Frevel
Begann schon da, als ich von Euern Händen
Sie in Madrid zuerst empfing – Noch seh ich
Mit diesem Blick des Schreckens, geisterbleich,
Auf meinen grauen Haaren sie verweilen.
Da fing es an, das falsche Spiel!

A l b a.   Dem Prinzen
Starb eine Braut in seiner jungen Mutter.   2640
Schon hatten sie mit Wünschen sich gewiegt,
In feurigen Empfindungen verstanden,
Die ihr der neue Stand verbot. Die Furcht
War schon besiegt, die Furcht, die sonst das erste
Geständnis zu begleiten pflegt, und kühner
Sprach die Verführung in vertrauten Bildern
Erlaubter Rückerinnerung. Verschwistert
Durch Harmonie der Meinung und der Jahre,
Durch gleichen Zwang erzürnt, gehorchten sie
Den Wallungen der Leidenschaft so dreister.   2650
Die Politik griff ihrer Neigung vor;
Ist es zu glauben, mein Monarch, daß sie
Dem Staatsrat diese Vollmacht zuerkannte?
Daß sie die Lüsternheit bezwang, die Wahl
Des Kabinetts aufmerksamer zu prüfen?
Sie war gefaßt auf Liebe und empfing –
Ein Diadem.

K ö n i g (beleidigt und mit Bitterkeit).
                    Ihr unterscheidet sehr –
Sehr weise, Herzog – Ich bewundre Eure
Beredsamkeit. Ich dank Euch.
    (Aufstehend, kalt und stolz.) Ihr habt recht:
Die Königin hat sehr gefehlt, mir Briefe   2660
Von diesem Inhalt zu verbergen – mir
Die strafbare Erscheinung des Infanten
Im Garten zu verheimlichen. Sie hat
Aus falscher Großmut sehr gefehlt. Ich werde
Sie zu bestrafen wissen. (Er zieht die Glocke.)
                    Wer ist sonst
Im Vorsaal? – Euer, Herzog Alba,
Bedarf ich nicht mehr. Tretet ab.

A l b a.   Sollt' ich
Durch meinen Eifer Eurer Majestät
Zum zweitenmal mißfallen haben?

K ö n i g *(zu einem Pagen, der hereintritt).*   La
Domingo kommen.
> *(Der Page geht ab.)*
> Ich vergeb es Euch,
Daß Ihr beinahe zwei Minuten lang
Mich ein Verbrechen hättet fürchten lassen,
Das gegen *Euch* begangen werden kann.
> *(Alba entfernt sich.)*

VIERTER AUFTRITT

Der König. Domingo.

D e r K ö n i g *(geht einigemal auf und ab, sich zu sammeln).*
D o m i n g o *(tritt einige Minuten nach dem Herzog herein,
nähert sich dem Könige, den er eine Zeitlang mit feier-
licher Stille betrachtet).*
Wie froh erstaun ich, Eure Majestät
So ruhig, so gefaßt zu sehn.
K ö n i g.   Erstaunt Ihr –
D o m i n g o.
Der Vorsicht sei's gedankt, daß meine Furcht
Doch also nicht gegründet war! Nun darf
Ich um so eher hoffen.
K ö n i g.   Eure Furcht?
Was war zu fürchten?
D o m i n g o.   Ihro Majestät,
Ich darf nicht bergen, daß ich allbereits   2680
Um ein Geheimnis weiß –
K ö n i g *(finster).*   Hab ich denn schon
Den Wunsch geäußert, es mit Euch zu teilen?
Wer kam so unberufen mir zuvor?
Sehr kühn, bei meiner Ehre!
D o m i n g o.   Mein Monarch,
Der Ort, der Anlaß, wo ich es erfahren,
Das Siegel, unter dem ich es erfahren,
Spricht wenigstens von dieser Schuld mich frei.
Am Beichtstuhl ward es mir vertraut – vertraut
Als Missetat, die das empfindliche
Gewissen der Entdeckerin belastet   2690
Und Gnade bei dem Himmel sucht. Zu spät
Beweint die Fürstin eine Tat, von der

Sie Ursach' hat, die fürchterlichsten Folgen
Für ihre Königin zu ahnen.

König.   Wirklich?
Das gute Herz – Ihr habt ganz recht vermutet,
Weswegen ich Euch rufen ließ. Ihr sollt
Aus diesem dunkeln Labyrinth mich führen,
Worein ein blinder Eifer mich geworfen.
Von Euch erwart ich Wahrheit. Redet offen
Mit mir. Was soll ich glauben, was beschließen?   2700
Von Eurem Amte fordr' ich Wahrheit.

Domingo.   Sire,
Wenn meines Standes Mildigkeit mir auch
Der Schonung süße Pflicht nicht auferlegte,
Doch würd' ich Eure Majestät beschwören,
Um Ihrer Ruhe willen Sie beschwören,
Bei dem Entdeckten stillzustehn – das Forschen
In ein Geheimnis ewig aufzugeben,
Das niemals freudig sich entwickeln kann.
Was jetzt bekannt ist, kann vergeben werden.
Ein Wort des Königs – und die Königin   2710
Hat nie gefehlt. Der Wille des Monarchen
Verleiht die Tugend wie das Glück – und nur
Die immer gleiche Ruhe meines Königs
Kann die Gerüchte mächtig niederschlagen,
Die sich die Lästerung erlaubt.

König.   Gerüchte?
Von mir und unter meinem Volke?

Domingo.   Lügen!
Verdammenswerte Lügen! Ich beschwör es.
Doch freilich gibt es Fälle, wo der Glaube
Des Volks, und wär' er noch so unerwiesen,
Bedeutend wie die Wahrheit wird.

König.   Bei Gott!   2720
Und hier gerade wär' es –

Domingo.   Guter Name
Ist das kostbare, einz'ge Gut, um welches
Die Königin mit einem Bürgerweibe
Wetteifern muß –

König.   Für den doch, will ich hoffen,
Hier nicht gezittert werden soll? (*Er ruht mit ungewissem
Blick auf Domingo. Nach einem Stillschweigen.*) Kaplan,
Ich soll noch etwas Schlimmes von Euch hören.

Verschiebt es nicht. Schon lange les ich es
In diesem unglückbringenden Gesichte.
Heraus damit! Sei's, was es wolle! Laßt
Nicht länger mich auf dieser Folter beben.   2730
Was glaubt das Volk?

D o m i n g o.   Noch einmal, Sire, das Volk
Kann irren – und es irrt gewiß. Was es
Behauptet, darf den König nicht erschüttern –
Nur – *daß* es so weit schon sich wagen durfte,
Dergleichen zu behaupten –

K ö n i g.   Was? Muß ich
So lang um einen Tropfen Gift Euch bitten?

D o m i n g o. Das Volk denkt an den Monat noch zurücke,
Der Eure Königliche Majestät
Dem Tode nahe brachte – dreißig Wochen
Nach diesem liest es von der glücklichen   2740
Entbindung –

(Der König steht auf und zieht die Glocke, Herzog von Alba
tritt herein. Domingo betroffen.)
          Ich erstaune, Sire!

K ö n i g *(dem Herzog Alba entgegengehend).*
                    Toledo!
Ihr seid ein Mann. Schützt mich vor diesem Priester.

D o m i n g o *(er und Herzog Alba geben sich verlegne*
Blicke. Nach einer Pause).
Wenn wir voraus es hätten wissen können,
Daß diese Nachricht an dem Überbringer
Geahndet werden sollte –

K ö n i g.   Bastard sagt Ihr?
Ich war, sagt Ihr, vom Tode kaum erstanden,
Als sie sich Mutter fühlte? – Wie? Das war
Ja damals, wenn ich anders mich nicht irre,
Als ihr den heiligen Dominikus
In allen Kirchen für das hohe Wunder lobtet,   2750
Das er an mir gewirkt? – Was damals Wunder
Gewesen, ist es jetzt nicht mehr? So habt
Ihr damals oder heute mir gelogen.
An was verlangt ihr daß ich glauben soll?
Oh, ich durchschau euch. Wäre das Komplott
Schon damals reif gewesen – ja, dann war
Der Heilige um seinen Ruhm.

A l b a.   Komplott!

König.   Ihr solltet
  Mit dieser beispiellosen Harmonie
  Jetzt in derselben Meinung euch begegnen
  Und doch nicht einverstanden sein? Mich wollt   2760
  Ihr das bereden? Mich? Ich soll vielleicht
  Nicht wahrgenommen haben, wie erpicht
  Und gierig ihr auf euren Raub euch stürztet?
  Mit welcher Wollust ihr an meinem Schmerz,
  An meines Zornes Wallung euch geweidet?
  Nicht merken soll ich, wie voll Eifer dort
  Der Herzog brennt, der Gunst zuvorzueilen,
  Die meinem Sohn beschieden war? Wie gerne
  Der fromme Mann hier seinen kleinen Groll
  Mit meines Zornes Riesenarm bewehrte?   2770
  Ich bin der Bogen, bildet ihr euch ein,
  Den man nur spannen dürfe nach Gefallen? –
  Noch hab ich meinen Willen auch – und wenn
  Ich zweifeln soll, so laßt mich wenigstens
  Bei euch den Anfang machen.
Alba.   Diese Deutung
  Hat unsre Treue nicht erwartet.
König.   Treue!
  Die Treue warnt vor drohenden Verbrechen,
  Die Rachgier spricht von den begangenen.
  Laßt hören! Was gewann ich denn durch eure
  Dienstfertigkeit? – Ist, was ihr vorgebt, wahr –   2780
  Was bleibt mir übrig als der Trennung Wunde?
  Der Rache trauriger Triumph? – Doch nein,
  Ihr fürchtet nur, ihr gebt mir schwankende
  Vermutungen – am Absturz einer Hölle
  Laßt ihr mich stehen und entflieht.
Domingo.   Sind andre
  Beweise möglich, wo das Auge selbst
  Nicht überwiesen werden kann?
König *(nach einer großen Pause, ernst und feierlich zu*
  Domingo sich wendend).   Ich will
  Die Großen meines Königreichs versammeln
  Und selber zu Gerichte sitzen. Tretet
  Heraus vor allen – habt Ihr Mut – und klaget   2790
  Als eine Buhlerin sie an! – Sie soll
  Des Todes sterben – ohne Rettung – sie
  Und der Infant soll sterben – aber – merkt Euch!

Kann sie sich reinigen – Ihr selbst! Wollt Ihr
Die Wahrheit durch ein solches Opfer ehren?
Entschließet Euch. Ihr wollt nicht? Ihr verstummt?
Ihr wollt nicht? – Das ist eines Lügners Eifer.

A l b a *(der stillschweigend in der Ferne gestanden, kalt und*
ruhig). Ich will es.

K ö n i g *(dreht sich erstaunt um und sieht den Herzog eine*
Zeitlang starr an).   Das ist kühn! – Doch mir fällt ein,
Daß Ihr in scharfen Schlachten Euer Leben
An etwas weit Geringeres gewagt –   2800
Mit eines Würfelspielers Leichtsinn für
Des Ruhmes Unding es gewagt – Und was
Ist Euch das Leben? – Königliches Blut
Geb ich dem Rasenden nicht preis, der nichts
Zu hoffen hat, als ein geringes Dasein
Erhaben aufzugeben – Euer Opfer
Verwerf ich. Geht – geht, und im Audienzsaal
Erwartet meine weiteren Befehle.
                         (Beide gehen ab.)

FÜNFTER AUFTRITT

D e r   K ö n i g *(allein).*
Jetzt gib mir einen Menschen, gute Vorsicht –
Du hast mir viel gegeben. Schenke mir   2810
Jetzt einen Menschen. Du – du bist allein,
Denn deine Augen prüfen das Verborgne –
Ich bitte dich um einen Freund, denn ich
Bin nicht, wie du, allwissend. Die Gehilfen,
Die du mir zugeordnet hast – was sie
Mir sind, weißt du. Was sie verdienen, haben
Sie mir gegolten. Ihre zahmen Laster,
Beherrscht vom Zaume, dienen meinen Zwecken,
Wie deine Wetter reinigen die Welt.
Ich brauche Wahrheit – ihre stille Quelle   2820
Im dunkeln Schutt des Irrtums aufzugraben,
Ist nicht das Los der Könige. Gib mir
Den seltnen Mann mit reinem, offnen Herzen,
Mit hellem Geist und unbefangnen Augen,
Der mir sie finden helfen kann – ich schütte
Die Lose auf; laß unter Tausenden,

Die um der Hoheit Sonnenscheibe flattern,
Den Einzigen mich finden.
(Er öffnet eine Schatulle und nimmt eine Schreibtafel her-
aus. Nachdem er eine Zeitlang darin geblättert.)
                          Bloße Namen –
Nur Namen stehen hier, und nicht einmal
Erwähnung des Verdiensts, dem sie den Platz   2830
Auf dieser Tafel danken – und was ist
Vergeßlicher als Dankbarkeit? Doch hier
Auf dieser andern Tafel les ich jede
Vergehung pünktlich beigeschrieben. Wie?
Das ist nicht gut. Braucht etwa das Gedächtnis
Der Rache dieser Hilfe noch? *(Liest weiter.)*
                          Graf Egmont?
Was will der hier? – der Sieg bei Saint Quentin
War längst verwirkt. Ich werf ihn zu den Toten.
(Er löscht diesen Namen aus und schreibt ihn auf die
andre Tafel. Nachdem er weitergelesen.)
Marquis von Posa? – Posa? – Posa? Kann
Ich dieses Menschen mich doch kaum besinnen!   2840
Und zweifach angestrichen – ein Beweis,
Daß ich zu großen Zwecken ihn bestimmte!
Und, war es möglich? dieser Mensch entzog
Sich meiner Gegenwart bis jetzt? vermied
Die Augen seines königlichen Schuldners?
Bei Gott! im ganzen Umkreis meiner Staaten
Der einz'ge Mensch, der meiner nicht bedarf!
Besäß' er Habsucht oder Ehrbegierde,
Er wäre längst vor meinem Thron erschienen.
Wag ich's mit diesem Sonderling? Wer mich   2850
Entbehren kann, wird Wahrheit für mich haben.
(Er geht ab.)

Der Audienzsaal.

SECHSTER AUFTRITT

Don Carlos im Gespräch mit dem Prinzen von Parma. Die Herzoge von Alba, Feria und Medina Sidonia. Graf von Lerma und noch andere Granden mit Schriften in der Hand. Alle den König erwartend.

M e d i n a S i d o n i a *(von allen Umstehenden sichtbar vermieden, wendet sich zum Herzog von Alba, der allein und in sich gekehrt auf und ab geht).*
Sie haben ja den Herrn gesprochen, Herzog –
Wie fanden Sie ihn aufgelegt?
A l b a.   Sehr übel
Für Sie und Ihre Zeitungen.
M e d i n a S i d o n i a.   Im Feuer
Des englischen Geschützes war mir's leichter
Als hier auf diesem Pflaster.
(Carlos, der mit stiller Teilnahme auf ihn geblickt hat, nähert sich ihm jetzt und drückt ihm die Hand.)
                                     Warmen Dank
Für diese großmutsvolle Träne, Prinz.
Sie sehen, wie mich alles flieht. Nun ist
Mein Untergang beschlossen.
C a r l o s.   Hoffen Sie
Das Beste, Freund, von meines Vaters Gnade   2860
Und Ihrer Unschuld.
M e d i n a S i d o n i a.   Ich verlor ihm eine Flotte,
Wie keine noch im Meer erschien – Was ist
Ein Kopf wie dieser gegen siebenzig
Versunkne Gallionen? – Aber, Prinz –
Fünf Söhne, hoffnungsvoll wie Sie – das bricht
Mein Herz –

SIEBENTER AUFTRITT

Der König kommt angekleidet heraus. Die Vorigen.

(Alle nehmen die Hüte ab und weichen zu beiden Seiten aus, indem sie einen halben Kreis um ihn bilden. Stillschweigen.)

K ö n i g *(den ganzen Kreis flüchtig durchschauend).*
                 Bedeckt euch!

(Don Carlos und der Prinz von Parma nähern sich zuerst und küssen dem König die Hand. Er wendet sich mit einiger Freundlichkeit zu dem letztern, ohne seinen Sohn bemerken zu wollen.)
                              Eure Mutter, Neffe,
Will wissen, wie man in Madrid mit Euch
Zufrieden sei.
P a r m a.   Das frage sie nicht eher
Als nach dem Ausgang meiner ersten Schlacht.
K ö n i g. Gebt Euch zufrieden. Auch an Euch wird einst
Die Reihe sein, wenn diese Stämme brechen.   2871
(Zum Herzog von Feria.)
Was bringt Ihr mir?
F e r i a *(ein Knie vor dem König beugend).*
                              Der Großkomtur des Ordens
Von Calatrava starb an diesem Morgen.
Hier folgt sein Ritterkreuz zurück.
K ö n i g *(nimmt den Orden und sieht im ganzen Zirkel herum).*   Wer wird
Nach ihm am würdigsten es tragen?
(Er winkt Alba zu sich, welcher sich vor ihm auf ein Knie niederläßt, und hängt ihm den Orden um.)
                              Herzog,
Ihr seid mein erster Feldherr – seid nie mehr,
So wird Euch meine Gnade niemals fehlen.
(Er wird den Herzog von Medina Sidonia gewahr.)
Sieh da! Mein Admiral!
M e d i n a   S i d o n i a *(nähert sich wankend und kniet vor dem Könige nieder mit gesenktem Haupt).*
                              Das, großer König,
Ist alles, was ich von der span'schen Jugend
Und der Armada wiederbringe.
K ö n i g *(nach einem langen Stillschweigen).*   Gott   2880
Ist über mir – Ich habe gegen Menschen,
Nicht gegen Sturm und Klippen sie gesendet –
Seid mir willkommen in Madrid.
(Er reicht ihm die Hand zum Kusse.)   Und Dank,
Daß Ihr in Euch mir einen würd'gen Diener
Erhalten habt! – Für diesen, meine Granden,
Erkenn ich ihn, will ich erkannt ihn wissen.
(Er gibt ihm einen Wink, aufzustehen und sich zu bedek-ken – dann wendet er sich gegen die andern.)

Was gibt es noch?
(Zu Don Carlos und dem Prinzen von Parma.)
            Ich dank euch, meine Prinzen.
(Diese treten ab. Die noch übrigen Granden nähern sich und
überreichen dem König kniend ihre Papiere. Er durchsieht
    sie flüchtig und reicht sie dem Herzog von Alba.)
Legt das im Kabinett mir vor – Bin ich zu Ende?
            (Niemand antwortet.)
Wie kommt es denn, daß unter meinen Granden
Sich nie ein Marquis Posa zeigt? Ich weiß   2890
Recht gut, daß dieser Marquis Posa mir
Mit Ruhm gedient. Er lebt vielleicht nicht mehr?
Warum erscheint er nicht?
L e r m a.   Der Chevalier
Ist kürzlich erst von Reisen angelangt,
Die er durch ganz Europa unternommen.
Soeben ist er in Madrid und wartet
Nur auf den öffentlichen Tag, sich zu
Den Füßen seines Oberherrn zu werfen.
A l b a. Marquis von Posa? – Recht! Das ist der kühne
Malteser, Ihro Majestät, von dem   2900
Der Ruf die schwärmerische Tat erzählte.
Als auf des Ordensmeisters Aufgebot
Die Ritter sich auf ihrer Insel stellten,
Die Soliman belagern ließ, verschwand
Auf einmal von Alcalas hoher Schule
Der achtzehnjähr'ge Jüngling. Ungerufen
Stand er vor la Valette. »Man kaufte mir
Das Kreuz«, sagt' er; »ich will es jetzt verdienen.«
Von jenen vierzig Rittern war er einer,
Die gegen Piali, Ulucciali   2910
Und Mustafa und Hassem das Kastell
Sankt Elmo in drei wiederholten Stürmen
Am hohen Mittag hielten. Als es endlich
Erstiegen wird und um ihn alle Ritter
Gefallen, wirft er sich ins Meer und kommt
Allein erhalten an bei la Valette.
Zwei Monate darauf verläßt der Feind
Die Insel, und der Ritter kommt zurück,
Die angefangnen Studien zu enden.
F e r i a. Und dieser Marquis Posa war es auch,   2920
Der nachher die berüchtigte Verschwörung

In Katalonien entdeckt und bloß
Durch seine Fertigkeit allein der Krone
Die wichtigste Provinz erhielt.
König.   Ich bin
Erstaunt – Was ist das für ein Mensch, der *das*
Getan und unter dreien, die ich frage,
Nicht einen einz'gen Neider hat? – Gewiß!
Der Mensch besitzt den ungewöhnlichsten
Charakter oder keinen – Wunders wegen
Muß ich ihn sprechen.
(Zum Herzog von Alba.)
                        Nach gehörter Messe   2930
Bringt ihn ins Kabinett zu mir.
        (Der Herzog geht ab. Der König ruft Feria.)
                        Und Ihr
Nehmt meine Stelle im geheimen Rate. *(Er geht ab.)*
Feria. Der Herr ist heut sehr gnädig.
Medina Sidonia.   Sagen Sie:
Er ist ein Gott! – Er ist es mir gewesen.
Feria. Wie sehr verdienen Sie Ihr Glück! Ich nehme
Den wärmsten Anteil, Admiral.
Einer von den Granden. Auch ich.
Ein zweiter. Ich wahrlich auch.
Ein dritter.   Das Herz hat mir geschlagen.
Ein so verdienter General!
Der erste.   Der König
War gegen Sie nicht gnädig – nur gerecht.
Lerma *(im Abgehen zu Medina Sidonia).*
Wie reich sind Sie auf einmal durch zwei Worte!   2940
                (Alle gehen ab.)

            Das Kabinett des Königs.

                ACHTER AUFTRITT

        Marquis von Posa und Herzog von Alba.

Marquis *(im Hereintreten).*
Mich will er haben? Mich? – Das kann nicht sein.
Sie irren sich im Namen – Und was will
Er denn von mir?
Alba.   Er will Sie kennenlernen.

Marquis. Der bloßen Neugier wegen – Oh, dann schade
  Um den verlornen Augenblick – Das Leben
  Ist so erstaunlich schnell dahin.
Alba.   Ich übergebe
  Sie Ihrem guten Stern. Der König ist
  In Ihren Händen. Nützen Sie, so gut
  Sie können, diesen Augenblick, und sich,
  Sich selber schreiben Sie es zu, geht er   2950
  Verloren. *(Er entfernt sich.)*

NEUNTER AUFTRITT

Der Marquis *(allein).*
            Wohl gesprochen, Herzog. Nützen
  Muß man den Augenblick, der *einmal* nur
  Sich bietet. Wahrlich, dieser Höfling gibt
  Mir eine gute Lehre – wenn auch nicht
  In seinem Sinne gut, doch in dem meinen.
  (Nach einigem Aufundniedergehen.)
  Wie komm ich aber hieher? – Eigensinn
  Des launenhaften Zufalls wär' es nur,
  Was mir mein Bild in *diesen* Spiegeln zeigt?
  Aus einer Million gerade mich,
  Den Unwahrscheinlichsten, ergriff und im   2960
  Gedächtnisse des Königs auferweckte?
  Ein Zufall nur? Vielleicht auch mehr – Und was
  Ist Zufall anders als der rohe Stein,
  Der Leben annimmt unter Bildners Hand?
  Den Zufall gibt die Vorsehung – Zum Zwecke
  Muß ihn der Mensch gestalten – Was der König
  Mit mir auch wollen mag, gleichviel! – Ich weiß,
  Was ich – ich mit dem König soll – Und wär's
  Auch eine Feuerflocke Wahrheit nur,
  In des Despoten Seele kühn geworfen –   2970
  Wie fruchtbar in der Vorsicht Hand! So könnte,
  Was erst so grillenhaft mir schien, sehr zweckvoll
  Und sehr besonnen sein. Sein oder nicht –
  Gleichviel! In diesem Glauben will ich handeln.
(Er macht einige Gänge durch das Zimmer und bleibt end-
lich in ruhiger Betrachtung vor einem Gemälde stehen. Der
König erscheint in dem angrenzenden Zimmer, wo er einige

Befehle gibt. Alsdann tritt er herein, steht an der Türe still
und sieht dem Marquis eine Zeitlang zu, ohne von ihm be-
merkt zu werden.)

ZEHNTER AUFTRITT

Der König und Marquis von Posa.

(Dieser geht dem König, sobald er ihn gewahr wird, ent-
gegen und läßt sich vor ihm auf ein Knie nieder, steht auf
und bleibt ohne Zeichen der Verwirrung vor ihm stehen.)

K ö n i g *(betrachtet ihn mit einem Blick der Verwunde-*
rung). Mich schon gesprochen also?
M a r q u i s.   Nein.
K ö n i g.   Ihr machtet
Um meine Krone Euch verdient. Warum
Entziehet Ihr Euch meinem Dank? In meinem
Gedächtnis drängen sich der Menschen viel.
Allwissend ist nur Einer. Euch kam's zu,
Das Auge Eures Königes zu suchen.   2980
Weswegen tatet Ihr das nicht?
M a r q u i s.   Es sind
Zween Tage, Sire, daß ich ins Königreich
Zurückgekommen.
K ö n i g.   Ich bin nicht gesonnen,
In meiner Diener Schuld zu stehn – Erbittet
Euch eine Gnade.
M a r q u i s.   Ich genieße die Gesetze.
K ö n i g. Dies Recht hat auch der Mörder.
M a r q u i s.   Wieviel mehr
Der gute Bürger! – Sire, ich bin zufrieden.
K ö n i g *(vor sich)*.
Viel Selbstgefühl und kühner Mut, bei Gott!
Doch das war zu erwarten – Stolz will ich
Den Spanier. Ich mag es gerne leiden,   2990
Wenn auch der Becher überschäumt – Ihr tratet
Aus meinen Diensten, hör ich?
M a r q u i s.   Einem Bessern
Den Platz zu räumen, zog ich mich zurücke.
K ö n i g. Das tut mir leid. Wenn solche Köpfe feiern,
Wieviel Verlust für meinen Staat – Vielleicht

Befürchtet Ihr, die Sphäre zu verfehlen,
Die Eures Geistes würdig ist.
Marquis.   O nein!
  Ich bin gewiß, daß der erfahrne Kenner,
  In Menschenseelen, seinem Stoff, geübt,
  Beim ersten Blicke wird gelesen haben,   3000
  Was ich ihm taugen kann, was nicht. Ich fühle
  Mit demutsvoller Dankbarkeit die Gnade,
  Die Eure königliche Majestät
  Durch diese stolze Meinung auf mich häufen;
  Doch – (Er hält inne.)
König. Ihr bedenket Euch?
Marquis.   Ich bin – ich muß
  Gestehen, Sire, sogleich nicht vorbereitet,
  Was ich als Bürger dieser Welt gedacht,
  In Worte Ihres Untertans zu kleiden. –
  Denn damals, Sire, als ich auf immer mit
  Der Krone aufgehoben, glaubt' ich mich   3010
  Auch der Notwendigkeit entbunden, ihr
  Von diesem Schritte Gründe anzugeben.
König. So schwach sind diese Gründe? Fürchtet Ihr
  Dabei zu wagen?
Marquis.   Wenn ich Zeit gewinne,
  Sie zu erschöpfen, Sire – mein Leben höchstens.
  Die Wahrheit aber setz ich aus, wenn Sie
  Mir diese Gunst verweigern. Zwischen Ihrer
  Ungnade und Geringschätzung ist mir
  Die Wahl gelassen – Muß ich mich entscheiden,
  So will ich ein Verbrecher lieber als   3020
  Ein Tor von Ihren Augen gehen.
König (mit erwartender Miene). Nun?
Marquis. – Ich kann nicht Fürstendiener sein.
      (Der König sieht ihn mit Erstaunen an.)
                                    Ich will
  Den Käufer nicht betrügen, Sire – Wenn Sie
  Mich anzustellen würdigen, so wollen
  Sie nur die vorgewogne Tat. Sie wollen
  Nur meinen Arm und meinen Mut im Felde,
  Nur meinen Kopf im Rat. Nicht meine Taten,
  Der Beifall, den sie finden an dem Thron,
  Soll meiner Taten Endzweck sein. Mir aber,
  Mir hat die Tugend eignen Wert. Das Glück,   3030

Das der Monarch mit meinen Händen pflanzte,
Erschüf ich selbst, und Freude wäre mir
Und eigne Wahl, was mir nur Pflicht sein sollte.
Und ist das Ihre Meinung? Können Sie
In Ihrer Schöpfung fremde Schöpfer dulden?
Ich aber soll zum Meißel mich erniedern,
Wo ich der Künstler könnte sein? – Ich liebe
Die Menschheit, und in Monarchien darf
Ich niemand lieben als mich selbst.
König.   Dies Feuer
Ist lobenswert. Ihr möchtet Gutes stiften.   3040
Wie Ihr es stiftet, kann dem Patrioten,
Dem Weisen gleichviel heißen. Suchet Euch
Den Posten aus in meinen Königreichen,
Der Euch berechtigt, diesem edeln Triebe
Genug zu tun.
Marquis.   Ich finde keinen.
König.   Wie?
Marquis. Was Eure Majestät durch meine Hand
Verbreiten – ist das Menschenglück? – Ist das
Dasselbe Glück, das meine reine Liebe
Den Menschen gönnt? – Vor diesem Glücke würde
Die Majestät erzittern – Nein! Ein neues   3050
Erschuf der Krone Politik – ein Glück,
Das sie noch reich genug ist auszuteilen,
Und in dem Menschenherzen neue Triebe,
Die sich von diesem Glücke stillen lassen.
In ihren Münzen läßt sie Wahrheit schlagen,
Die Wahrheit, die sie dulden kann. Verworfen
Sind alle Stempel, die nicht diesem gleichen.
Doch, was der Krone frommen kann – ist das
Auch mir genug? Darf meine Bruderliebe
Sich zur Verkürzung meines Bruders borgen?   3060
Weiß ich ihn glücklich – eh' er denken darf?
Mich wählen Sie nicht, Sire, Glückseligkeit,
Die Sie uns prägen, auszustreun. Ich muß
Mich weigern, diese Stempel auszugeben. –
Ich kann nicht Fürstendiener sein.
König (etwas rasch).   Ihr seid
Ein Protestant.
Marquis (nach einigem Bedenken).
          Ihr Glaube, Sire, ist auch

Der meinige. *(Nach einer Pause.)*
          Ich werde mißverstanden.
Das war es, was ich fürchtete. Sie sehen
Von den Geheimnissen der Majestät
Durch meine Hand den Schleier weggezogen.   3070
Wer sichert Sie, daß mir noch heilig heiße,
Was mich zu schrecken aufgehört? Ich bin
Gefährlich, weil ich über mich gedacht. –
Ich bin es nicht, mein König. Meine Wünsche
Verwesen hier.
(Die Hand auf die Brust gelegt.)
          Die lächerliche Wut
Der Neuerung, die nur der Ketten Last,
Die sie nicht ganz zerbrechen kann, vergrößert,
Wird *mein* Blut nie erhitzen. Das Jahrhundert
Ist meinem Ideal nicht reif. Ich lebe
Ein Bürger derer, welche kommen werden.   3080
Kann ein Gemälde Ihre Ruhe trüben? –
Ihr Atem löscht es aus.

König.   Bin ich der erste,
Der Euch von dieser Seite kennt?

Marquis.   Von dieser –
Ja!

König *(steht auf, macht einige Schritte und bleibt dem
     Marquis gegenüber stehen. Vor sich).*
          Neu zum wenigsten ist dieser Ton!
Die Schmeichelei erschöpft sich. Nachzuahmen
Erniedrigt einen Mann von Kopf – Auch einmal
Die Probe von dem Gegenteil. Warum nicht?
Das Überraschende macht Glück. – Wenn Ihr
Es so versteht, gut, so will ich mich
Auf eine neue Kronbedienung richten –   3090
Den starken Geist –

Marquis.   Ich höre, Sire, wie klein,
Wie niedrig Sie von Menschenwürde denken,
Selbst in des freien Mannes Sprache nur
Den Kunstgriff eines Schmeichlers sehen, und
Mir deucht, ich weiß, wer Sie dazu berechtigt.
Die Menschen zwangen Sie dazu; *die* haben
Freiwillig ihres Adels sich begeben,
Freiwillig sich auf diese niedre Stufe
Herabgestellt. Erschrocken fliehen sie

Vor dem Gespenste ihrer innern Größe,   3100
Gefallen sich in ihrer Armut, schmücken
Mit feiger Weisheit ihre Ketten aus,
Und Tugend nennt man, sie mit Anstand tragen.
So überkamen Sie die Welt. So ward
Sie Ihrem großen Vater überliefert.
Wie könnten Sie in dieser traurigen
Verstümmlung – Menschen ehren?

König.   Etwas Wahres
Find ich in diesen Worten.

Marquis.   Aber schade!
Da Sie den Menschen aus des Schöpfers Hand
In Ihrer Hände Werk verwandelten   3110
Und dieser neugegoßnen Kreatur
Zum Gott sich gaben – da versahen Sie's
In etwas nur: Sie blieben selbst noch Mensch –
Mensch aus des Schöpfers Hand. *Sie* fuhren fort,
Als Sterblicher zu leiden, zu begehren;
Sie brauchen Mitgefühl – und einem Gott
Kann man nur opfern – zittern – zu ihm beten!
Bereuenswerter Tausch! Unselige
Verdrehung der Natur! – Da Sie den Menschen
Zu Ihrem Saitenspiel herunterstürzten,   3120
Wer teilt mit Ihnen Harmonie?

König.   (Bei Gott,
Er greift in meine Seele!)

Marquis.   Aber Ihnen
Bedeutet dieses Opfer nichts. Dafür
Sind Sie auch einzig – Ihre eigne Gattung –
Um diesen Preis sind Sie ein Gott – Und schrecklich,
Wenn das *nicht* wäre – wenn für diesen Preis,
Für das zertretne Glück von Millionen,
Sie nichts gewonnen hätten! wenn die Freiheit,
Die Sie vernichteten, das einz'ge wäre,
Das Ihre Wünsche reifen kann? – Ich bitte,   3130
Mich zu entlassen, Sire. Mein Gegenstand
Reißt mich dahin. Mein Herz ist voll – der Reiz
Zu mächtig, vor dem Einzigen zu stehen,
Dem ich es öffnen möchte.

*(Der Graf von Lerma tritt herein und spricht einige Worte
leise mit dem König. Dieser gibt ihm einen Wink, sich zu
entfernen, und bleibt in seiner vorigen Stellung sitzen.)*

König *(zum Marquis, nachdem Lerma weggegangen).*
                    Redet aus!
Marquis *(nach einigem Stillschweigen).*
  Ich fühle, Sire – den ganzen Wert –
König.   Vollendet!
  Ihr hattet mir noch mehr zu sagen.
Marquis.   Sire!
  Jüngst kam ich an von Flandern und Brabant –
  So viele reiche, blühende Provinzen!
  Ein kräftiges, ein großes Volk – und auch
  Ein gutes Volk – und Vater dieses Volkes!   3140
  Das, dacht' ich, das muß göttlich sein! – Da stieß
  Ich auf verbrannte menschliche Gebeine –
*(Hier schweigt er still; seine Augen ruhen auf dem König,
der es versucht, diesen Blick zu erwidern, aber betroffen und
                 verwirrt zur Erde sieht.)*
  Sie haben recht. *Sie* müssen. Daß Sie *können,*
  Was Sie zu müssen eingesehn, hat mich
  Mit schauernder Bewunderung durchdrungen.
  O schade, daß, in seinem Blut gewälzt,
  Das Opfer wenig dazu taugt, dem Geist
  Des Opferers ein Loblied anzustimmen!
  Daß Menschen nur – nicht Wesen höhrer Art –
  Die Weltgeschichte schreiben! – Sanftere   3150
  Jahrhunderte verdrängen Philipps Zeiten;
  Die bringen mildre Weisheit; Bürgerglück
  Wird dann versöhnt mit Fürstengröße wandeln,
  Der karge Staat mit seinen Kindern geizen,
  Und die Notwendigkeit wird menschlich sein.
König. Wann, denkt Ihr, würden diese menschlichen
  Jahrhunderte erscheinen, hätt' ich vor
  Dem Fluch des jetzigen gezittert? Sehet
  In meinem Spanien Euch um. Hier blüht
  Des Bürgers Glück in nie bewölktem Frieden;   3160
  Und *diese Ruhe* gönn ich den Flamändern.
Marquis *(schnell).*
  Die Ruhe eines Kirchhofs! Und Sie hoffen,
  Zu endigen, was Sie begannen? hoffen,
  Der Christenheit gezeitigte Verwandlung,
  Den allgemeinen Frühling aufzuhalten,
  Der die Gestalt der Welt verjüngt? *Sie* wollen
  Allein in ganz Europa – sich dem Rade

Des Weltverhängnisses, das unaufhaltsam
In vollem Laufe rollt, entgegenwerfen?
Mit Menschenarm in seine Speichen fallen?   3170
Sie werden nicht! Schon flohen Tausende
Aus Ihren Ländern froh und arm. Der Bürger,
Den Sie verloren für den Glauben, war
Ihr edelster. Mit offnen Mutterarmen
Empfängt die Fliehenden Elisabeth,
Und furchtbar blüht durch Künste unsres Landes
Britannien. Verlassen von dem Fleiß
Der neuen Christen, liegt Grenada öde,
Und jauchzend sieht Europa seinen Feind
An selbstgeschlagnen Wunden sich verbluten.   3180
(Der König ist bewegt, der Marquis bemerkt es und tritt
einige Schritte näher.)
Sie wollen pflanzen für die Ewigkeit,
Und säen Tod? Ein so erzwungnes Werk
Wird seines Schöpfers Geist nicht überdauern.
Dem Undank haben Sie gebaut – umsonst
Den harten Kampf mit der Natur gerungen,
Umsonst ein großes königliches Leben
Zerstörenden Entwürfen hingeopfert.
Der Mensch ist mehr, als Sie von ihm gehalten.
Des langen Schlummers Bande wird er brechen
Und wiederfordern sein geheiligt Recht.   3190
Zu einem Nero und Busiris wirft
Er Ihren Namen, und – das schmerzt mich, denn
Sie waren gut.
K ö n i g.   Wer hat Euch dessen so
Gewiß gemacht?
M a r q u i s *(mit Feuer).*   Ja, beim Allmächtigen!
Ja – ja – Ich wiederhol es. Geben Sie,
Was Sie uns nahmen, wieder. Lassen Sie,
Großmütig, wie der Starke, Menschenglück
Aus Ihrem Füllhorn strömen – Geister reifen
In Ihrem Weltgebäude. Geben Sie,
Was Sie uns nahmen, wieder. Werden Sie   3200
Von Millionen Königen ein König. *(Er nähert sich ihm*
kühn, indem er feste und feurige Blicke auf ihn richtet.)
O könnte die Beredsamkeit von allen
Den Tausenden, die dieser großen Stunde
Teilhaftig sind, auf meinen Lippen schweben,

Den Strahl, den ich in diesen Augen merke,
Zur Flamme zu erheben! – Geben Sie
Die unnatürliche Vergöttrung auf,
Die uns vernichtet. Werden Sie uns Muster
Des Ewigen und Wahren. Niemals – niemals
Besaß ein Sterblicher so viel, so göttlich   3210
Es zu gebrauchen. Alle Könige
Europens huldigen dem span'schen Namen.
Gehn Sie Europens Königen voran.
Ein Federzug von dieser Hand, und neu
Erschaffen wird die Erde. Geben Sie
Gedankenfreiheit – (Sich ihm zu Füßen werfend.)

König (überrascht, das Gesicht weggewandt und dann
      wieder auf den Marquis geheftet).
                          Sonderbarer Schwärmer!
    Doch – stehet auf – ich –

Marquis.   Sehen Sie sich um
    In seiner herrlichen Natur! Auf Freiheit
    Ist sie gegründet – und wie reich ist sie
    Durch Freiheit! Er, der große Schöpfer, wirft   3220
    In einen Tropfen Tau den Wurm und läßt
    Noch in den toten Räumen der Verwesung
    Die Willkür sich ergetzen – Ihre Schöpfung,
    Wie eng und arm! Das Rauschen eines Blattes
    Erschreckt den Herrn der Christenheit – Sie müssen
    Vor jeder Tugend zittern. Er – der Freiheit
    Entzückende Erscheinung nicht zu stören –
    Er läßt des Übels grauenvolles Heer
    In seinem Weltall lieber toben – ihn,
    Den Künstler, wird man nicht gewahr, bescheiden   3230
    Verhüllt er sich in ewige Gesetze;
    Die sieht der Freigeist, doch nicht ihn. Wozu
    Ein Gott? sagt er; die Welt ist sich genug.
    Und keines Christen Andacht hat ihn mehr,
    Als dieses Freigeists Lästerung, gepriesen.

König. Und wollet Ihr es unternehmen, dies
    Erhabne Muster in der Sterblichkeit
    In meinen Staaten nachzubilden?

Marquis.   Sie,
    Sie können es. Wer anders? Weihen Sie
    Dem Glück der Völker die Regentenkraft,   3240
    Die – ach so lang – des Thrones Größe nur

Gewuchert hatte – Stellen Sie der Menschheit
Verlornen Adel wieder her. Der Bürger
Sei wiederum, was er zuvor gewesen,
Der Krone Zweck – ihn binde keine Pflicht
Als seiner Brüder gleich ehrwürd'ge Rechte.
Wenn nun der Mensch, sich selbst zurückgegeben,
Zu seines Werts Gefühl erwacht – der Freiheit
Erhabne, stolze Tugenden gedeihen –
Dann, Sire, wenn Sie zum glücklichsten der Welt   3250
Ihr eignes Königreich gemacht – dann ist
Es Ihre Pflicht, die Welt zu unterwerfen.

König *(nach einem großen Stillschweigen).*
Ich ließ Euch bis zu Ende reden – Anders,
Begreif ich wohl, als sonst in Menschenköpfen
Malt sich in diesem Kopf die Welt – auch will
Ich fremdem Maßstab Euch nicht unterwerfen
Ich bin der erste, dem Ihr Euer Innerstes
Enthüllt. Ich glaub es, weil ich's weiß. Um dieser
Enthaltung willen, solche Meinungen,
Mit solchem Feuer doch umfaßt, verschwiegen   3260
Zu haben bis auf diesen Tag – um dieser
Bescheidnen Klugheit willen, junger Mann,
Will ich vergessen, daß ich sie erfahre
Und wie ich sie erfahre. Stehet auf.
Ich will den Jüngling, der sich übereilte,
Als Greis und nicht als König widerlegen.
Ich will es, weil ich's will – Gift also selbst,
Find ich, kann in gutartigen Naturen
Zu etwas Besserm sich veredeln – Aber
Flieht meine Inquisition. Es sollte   3270
Mir leid tun –

Marquis.   Wirklich? Sollt' es das?

König *(in seinem Anblick verloren).*   Ich habe
Solch einen Menschen nie gesehen. – Nein!
Nein, Marquis! Ihr tut mir zu viel. Ich will
Nicht Nero sein. Ich will es nicht sein – will
Es gegen Euch nicht sein. Nicht alle
Glückseligkeit soll unter mir verdorren.
Ihr selbst, Ihr sollet unter meinen Augen
Fortfahren dürfen, Mensch zu sein.

Marquis *(rasch).*   Und meine
Mitbürger, Sire? – Oh! nicht um mich war mir's

Zu tun, nicht *meine* Sache wollt' ich führen.   3280
Und Ihre Untertanen, Sire? –
K ö n i g.   Und wenn
Ihr so gut wisset, wie die Folgezeit
Mich richten wird, so lerne sie an Euch,
Wie ich mit Menschen es gehalten, als
Ich einen fand.
M a r q u i s.   Oh! der gerechteste
Der Könige sei nicht mit einem Male
Der ungerechteste – In Ihrem Flandern
Sind tausend Bessere als ich. Nur *Sie* –
Darf ich es frei gestehen, großer König? –
Sie sehn jetzt unter diesem sanftern Bilde   3290
Vielleicht zum erstenmal die Freiheit.
K ö n i g *(mit gemildertem Ernst).*   Nichts mehr
Von diesem Inhalt, junger Mann – Ich weiß,
Ihr werdet anders denken, kennet Ihr
Den Menschen erst, wie ich – Doch hätt' ich Euch
Nicht gern zum letztenmal gesehn. Wie fang ich
Es an, Euch zu verbinden?
M a r q u i s.   Lassen Sie
Mich, wie ich bin. Was wär' ich Ihnen, Sire,
Wenn Sie auch mich bestächen?
K ö n i g.   Diesen Stolz
Ertrag ich nicht. Ihr seid von heute an
In meinen Diensten – Keine Einwendung!   3300
Ich will es haben.
(Nach einer Pause.) Aber wie? Was wollte
Ich denn? War es nicht Wahrheit, was ich wollte?
Und hier find ich noch etwas mehr – Ihr habt
Auf meinem Thron mich ausgefunden, Marquis.
Nicht auch in meinem Hause?
(Da sich der Marquis zu bedenken scheint.)
                                Ich versteh Euch.
Doch – wär' ich auch von allen Vätern der
Unglücklichste, kann ich nicht glücklich sein
Als Gatte?
M a r q u i s. Wenn ein hoffnungsvoller Sohn,
Wenn der Besitz der liebenswürdigsten
Gemahlin einem Sterblichen ein Recht   3310
Zu diesem Namen geben, Sire, so sind Sie
Der Glücklichste durch beides.

König *(mit finstrer Miene)*.   Nein, ich bin's nicht!
  Und daß ich's nicht bin, hab ich tiefer nie
  Gefühlt als eben jetzt – *(Mit einem Blicke der Wehmut auf
  dem Marquis verweilend.)*
Marquis.   Der Prinz denkt edel
  Und gut. Ich hab ihn anders nie gefunden.
König. Ich aber hab es – Was er mir genommen,
  Kann keine Krone mir ersetzen – Eine
  So tugendhafte Königin!
Marquis.   Wer kann
  Es wagen, Sire?
König.   Die Welt! Die Lästerung!
  Ich selbst! – Hier liegen Zeugnisse, die ganz   3320
  Unwidersprechlich sie verdammen; andre
  Sind noch vorhanden, die das Schreckliche
  Mich fürchten lassen – Aber, Marquis – schwer,
  Schwer fällt es mir, an *eines* nur zu glauben.
  Wer klagt sie an? – Wenn *sie* – sie fähig sollte
  Gewesen sein, so tief sich zu entehren,
  O wie viel mehr ist mir zu glauben dann
  Erlaubt, daß eine Eboli verleumdet?
  Haßt nicht der Priester meinen Sohn und sie?
  Und weiß ich nicht, daß Alba Rache brütet?   3330
  Mein Weib ist mehr wert als sie alle.
Marquis.   Sire,
  Und etwas lebt noch in des Weibes Seele,
  Das über allen Schein erhaben ist
  Und über alle Lästerung – Es heißt
  Weibliche Tugend.
König.   Ja! Das sag ich auch.
  So tief, als man die Königin bezichtigt,
  Herabzusinken, kostet viel. So leicht,
  Als man mich überreden möchte, reißen
  Der Ehre feine Bande nicht. Ihr kennt
  Den Menschen, Marquis. Solch ein Mann hat mir   3340
  Schon längst gemangelt, Ihr seid gut und fröhlich
  Und kennet doch den Menschen auch – Drum hab
  Ich Euch gewählt –
Marquis *(überrascht und erschrocken)*.
                    Mich, Sire?
König.   Ihr standet
  Vor Eurem Herrn und habt nichts für Euch selbst

Erbeten – nichts. Das ist mir neu – Ihr werdet
Gerecht sein. Leidenschaft wird Euren Blick
Nicht irren – Dränget Euch zu meinem Sohn,
Erforscht das Herz der Königin. Ich will
Euch Vollmacht senden, sie geheim zu sprechen.
Und jetzt verlaßt mich! *(Er zieht eine Glocke.)*
Marquis.   Kann ich es mit *einer*   3350
Erfüllten Hoffnung? – Dann ist dieser Tag
Der schönste meines Lebens.
König *(reicht ihm die Hand zum Kusse).*   Er ist kein
Verlorner in dem meinigen.
(Der Marquis steht auf und geht. Graf Lerma tritt herein.)
                        Der Ritter
Wird künftig ungemeldet vorgelassen.

VIERTER AKT

Saal bei der Königin.

ERSTER AUFTRITT

*Die Königin. Die Herzogin Olivarez. Die Prinzessin von
    Eboli. Die Gräfin Fuentes und noch andere Damen.*

König in *(zur Oberhofmeisterin, indem sie aufsteht).*
Der Schlüssel fand sich also nicht? – So wird
Man die Schatulle mir erbrechen müssen,
Und zwar sogleich –
*(Da sie die Prinzessin von Eboli gewahr wird, welche sich
    ihr nähert und ihr die Hand küßt.)*
                    Willkommen, liebe Fürstin.
Mich freut, Sie wiederhergestellt zu finden –
Zwar noch sehr blaß –
Fuentes *(etwas tückisch).*
                    Die Schuld des bösen Fiebers,
Das ganz erstaunlich an die Nerven greift.   3360
Nicht wahr, Prinzessin?
König in.   Sehr hab ich gewünscht,
Sie zu besuchen, meine Liebe – Doch
Ich darf ja nicht.

O l i v a r e z.   Die Fürstin Eboli
  Litt wenigstens nicht Mangel an Gesellschaft –
K ö n i g i n. Das glaub ich gern. Was haben Sie? Sie zittern.
E b o l i. Nichts – gar nichts, meine Königin. Ich bitte
  Um die Erlaubnis, wegzugehen.
K ö n i g i n.   Sie
  Verhehlen uns, sind kränker gar, als Sie
  Uns glauben machen wollen? Auch das Stehn
  Wird Ihnen sauer. Helfen Sie ihr, Gräfin,   3370
  Auf dieses Taburett sich niedersetzen.
E b o l i. Im Freien wird mir besser. *(Sie geht ab.)*
K ö n i g i n.   Folgen Sie
  Ihr, Gräfin – Welche Anwandlung!
(Ein Page tritt herein und spricht mit der Herzogin, welche
  sich alsdann zur Königin wendet.)
O l i v a r e z.   Der Marquis
  Von Posa, Ihro Majestät – Er kommt
  Von Seiner Majestät dem König.
K ö n i g i n.   Ich
  Erwart ihn.
  (Der Page geht ab und öffnet dem Marquis die Türe.)

ZWEITER AUFTRITT

Marquis von Posa. Die Vorigen.

(Der Marquis läßt sich auf ein Knie vor der Königin nieder,
  welche ihm einen Wink gibt, aufzustehen.)

K ö n i g i n. Was ist meines Herrn Befehl?
  Darf ich ihn öffentlich –
M a r q u i s.   Mein Auftrag lautet
  An Ihro königliche Majestät allein.
  (Die Damen entfernen sich auf einen Wink der Königin.)

DRITTER AUFTRITT

Die Königin. Marquis von Posa.

K ö n i g i n *(voll Verwunderung)*.
  Wie? darf ich meinen Augen trauen, Marquis?
  Sie an mich abgeschickt vom König?
M a r q u i s.   Dünkt   3380

Das Ihro Majestät so sonderbar?
Mir ganz und gar nicht.
K ö n i g i n.   Nun so ist die Welt
Aus ihrer Bahn gewichen. *Sie* und *er* –
Ich muß gestehen –
M a r q u i s.   Daß es seltsam klingt?
Das mag wohl sein – Die gegenwärt'ge Zeit
Ist noch an mehrern Wunderdingen fruchtbar.
K ö n i g i n. An größern kaum.
M a r q u i s.   Gesetzt, ich hätte mich
Bekehren lassen endlich – wär' es müde,
An Philipps Hof den Sonderling zu spielen?
Den Sonderling! Was heißt auch das? Wer sich   3390
Den Menschen nützlich machen will, muß doch
Zuerst sich ihnen gleichzustellen suchen.
Wozu der Sekte prahlerische Tracht?
Gesetzt – Wer ist von Eitelkeit so frei,
Um nicht für seinen Glauben gern zu werben? –
Gesetzt, ich ginge damit um, den meinen
Auf einen Thron zu setzen?
K ö n i g i n.   Nein! – Nein, Marquis.
Auch nicht einmal im Scherze möcht' ich dieser
Unreifen Einbildung Sie zeihn. Sie sind
Der Träumer nicht, der etwas unternähme,   3400
Was nicht geendigt werden kann.
M a r q u i s.   Das eben
Wär' noch die Frage, denk ich.
K ö n i g i n.   Was ich höchstens
Sie zeihen könnte, Marquis – was von Ihnen
Mich fast befremden könnte, wäre – wäre –
M a r q u i s. Zweideutelei. Kann sein.
K ö n i g i n.   Unredlichkeit
Zum wenigsten. Der König wollte mir
Wahrscheinlich nicht durch Sie entbieten lassen,
Was Sie mir sagen werden.
M a r q u i s.   Nein.
K ö n i g i n.   Und kann
Die gute Sache schlimme Mittel adeln?
Kann sich – verzeihen Sie mir diesen Zweifel –   3410
Ihr edler Stolz zu diesem Amte borgen?
Kaum glaub ich es –
M a r q u i s.   Auch *ich* nicht, wenn es hier

    Nur gelten soll, den König zu betrügen.
    Doch das ist meine Meinung nicht. Ihm selbst
    Gedenk ich diesmal redlicher zu dienen,
    Als er mir aufgetragen hat.
Königin.   Daran
    Erkenn ich Sie, und nun genug! Was macht er?
Marquis.
    Der König? – Wie es scheint, bin ich sehr bald
    An meiner strengen Richterin gerächt.
    Was ich so sehr nicht zu erzählen eile,   3420
    Eilt Ihro Majestät, wie mir geschienen,
    Noch weit, weit weniger zu hören – Doch
    Gehört muß es doch werden! Der Monarch
    Läßt Ihro Majestät ersuchen, dem
    Ambassadeur von Frankreich kein Gehör
    Für heute zu bewilligen. Das war
    Mein Auftrag. Er ist abgetan.
Königin.   Und das
    Ist alles, Marquis, was Sie mir von ihm
    Zu sagen haben?
Marquis.   Alles ungefähr,
    Was mich berechtigt, hier zu sein.
Königin.   Ich will   3430
    Mich gern bescheiden, Marquis, nicht zu wissen,
    Was mir vielleicht Geheimnis bleiben muß –
Marquis. Das *muß* es, meine Königin – Zwar, wären
    Sie nicht *Sie* selbst, ich würde eilen, Sie
    Von ein'gen Dingen zu belehren, vor
    Gewissen Menschen Sie zu warnen – doch
    Das braucht es nicht bei Ihnen. Die Gefahr
    Mag auf- und untergehen um Sie her,
    Sie sollen's nie erfahren. Alles dies
    Ist ja nicht so viel wert, den goldnen Schlaf   3440
    Von eines Engels Stirne zu verjagen.
    Auch war es das nicht, was mich hergeführt.
    Prinz Carlos –
Königin.   Wie verließen Sie ihn?
Marquis.   Wie
    Den einz'gen Weisen seiner Zeit, dem es
    Verbrechen ist, die Wahrheit anzubeten –
    Und ebenso beherzt, für *seine* Liebe,
    Wie jener für die seinige, zu sterben.

Ich bringe wenig Worte – Aber hier,
Hier ist er selbst. *(Er gibt der Königin einen Brief.)*
K ö n i g i n *(nachdem sie ihn gelesen).*
      Er muß mich sprechen, sagt er.
M a r q u i s. Das sag ich auch.
K ö n i g i n.   Wird es ihn glücklich machen,
Wenn er mit seinen Augen sieht, daß ich   3451
Es auch nicht bin?
M a r q u i s.   Nein – aber tätiger
Soll es ihn machen und entschloßner.
K ö n i g i n.   Wie?
M a r q u i s. Der Herzog Alba ist ernannt nach Flandern.
K ö n i g i n. Ernannt – so hör ich.
M a r q u i s.   Widerrufen kann
Der König nie. Wir kennen ja den König.
Doch wahr ist's auch: Hier darf der Prinz nicht bleiben –
Hier nicht, jetzt vollends nicht – und Flandern darf
Nicht aufgeopfert werden.
K ö n i g i n.   Wissen Sie
Es zu verhindern?
M a r q u i s.   Ja – vielleicht. Das Mittel   3460
Ist fast so schlimm als die Gefahr. Es ist
Verwegen wie Verzweiflung – Doch ich weiß
Von keinem andern.
K ö n i g i n.   Nennen Sie mir's.
M a r q u i s.   Ihnen,
Nur Ihnen, meine Königin, wag ich
Es zu entdecken. Nur von Ihnen kann
Es Carlos hören, ohne Abscheu hören.
Der Name freilich, den es führen wird,
Klingt etwas rauh –
K ö n i g i n.   Rebellion –
M a r q u i s.   Er soll
Dem König ungehorsam werden, soll
Nach Brüssel heimlich sich begeben, wo   3470
Mit offnen Armen die Flamänder ihn
Erwarten. Alle Niederlande stehen
Auf seine Losung auf. Die gute Sache
Wird stark durch einen Königssohn. Er mache
Den span'schen Thron durch seine Waffen zittern.
Was in Madrid der Vater ihm verweigert,
Wird er in Brüssel ihm bewilligen.

K ö n i g i n.   Sie sprachen
  Ihn heute und behaupten das?
M a r q u i s.   Weil ich
  Ihn heute sprach.
K ö n i g i n *(nach einer Pause)*. Der Plan, den Sie mir zeigen,
  Erschreckt und – reizt mich auch zugleich. Ich glaube, 3480
  Daß Sie nicht unrecht haben – die Idee
  Ist kühn, und ebendarum, glaub ich,
  Gefällt sie mir. Ich will sie reifen lassen.
  Weiß sie der Prinz?
M a r q u i s.   Er sollte, war mein Plan,
  Aus Ihrem Mund zum erstenmal sie hören.
K ö n i g i n. Unstreitig! Die Idee ist groß – Wenn anders
  Des Prinzen Jugend –
M a r q u i s.   Schadet nichts. Er findet
  Dort einen Egmont und Oranien,
  Die braven Krieger Kaiser Karls, so klug
  Im Kabinett als fürchterlich im Felde.   3490
K ö n i g i n *(mit Lebhaftigkeit)*.
  Nein! die Idee ist groß und schön – Der Prinz
  Muß handeln. Lebhaft fühl ich das. Die Rolle,
  Die man hier in Madrid ihn spielen sieht,
  Drückt mich an seiner Statt zu Boden – Frankreich
  Versprech ich ihm; Savoyen auch. Ich bin
  Ganz Ihrer Meinung, Marquis, er muß handeln. –
  Doch dieser Anschlag fordert Geld.
M a r q u i s.   Auch das liegt schon
  Bereit –
K ö n i g i n.   Und dazu weiß ich Rat.
M a r q u i s.   So darf ich
  Zu der Zusammenkunft ihm Hoffnung geben?
K ö n i g i n. Ich will mir's überlegen.
M a r q u i s.   Carlos dringt 3500
  Auf Antwort, Ihro Majestät – Ich hab
  Ihm zugesagt, nicht leer zurückzukehren.
  (Seine Schreibtafel der Königin reichend.)
  Zwo Zeilen sind für jetzt genug –
K ö n i g i n *(nachdem sie geschrieben)*. Werd ich
  Sie wiedersehn?
M a r q u i s.   Sooft Sie es befehlen.
K ö n i g i n. Sooft – sooft ich es befehle? – Marquis!
  Wie muß ich diese Freiheit mir erklären?

M a r q u i s. So arglos, als *Sie* immer können. Wir
  Genießen sie, das ist genug – das ist
  Für meine Königin genug.
K ö n i g i n *(abbrechend).*   Wie sollt' es
  Mich freuen, Marquis, wenn der Freiheit endlich   3510
  Noch diese Zuflucht in Europa bliebe!
  Wenn sie durch *ihn* es bliebe! – Rechnen Sie
  Auf meinen stillen Anteil –
M a r q u i s *(mit Feuer).*   Oh, ich wußt' es,
  Ich mußte hier verstanden werden –
H e r z o g i n O l i v a r e z *(erscheint an der Türe).*
K ö n i g i n *(fremd zum Marquis).*   Was
  Von meinem Herrn dem König kommt, werd ich
  Als ein Gesetz verehren. Gehen Sie,
  Ihm meine Unterwerfung zu versichern!
    (Sie gibt ihm einen Wink. Der Marquis geht ab.)

Galerie.

VIERTER AUFTRITT

Don Carlos und Graf Lerma.

C a r l o s. Hier sind wir ungestört. Was haben Sie
  Mir zu entdecken?
L e r m a.   Eure Hoheit hatten
  An diesem Hofe einen Freund.
C a r l o s *(stutzt).*   Den ich   3520
  Nicht wüßte! – Wie? Was wollen Sie damit?
L e r m a. So muß ich um Vergebung bitten, daß
  Ich mehr erfuhr, als ich erfahren durfte.
  Doch, Eurer Hoheit zur Beruhigung,
  Ich hab es wenigstens von treuer Hand,
  Denn kurz, ich hab es von mir selbst.
C a r l o s.   Von wem
  Ist denn die Rede?
L e r m a.   Marquis Posa –
C a r l o s.   Nun?
L e r m a. Wenn etwa mehr, als jemand wissen darf,
  Von Eurer Hoheit ihm bewußt sein sollte,
  Wie ich beinahe fürchte –
C a r l o s.   Wie Sie fürchten?   3530

L e r m a. – Er war beim König.

C a r l o s.   So?

L e r m a.   Zwo volle Stunden
Und in sehr heimlichem Gespräch.

C a r l o s.   Wahrhaftig?

L e r m a. Es war von keiner Kleinigkeit die Rede.

C a r l o s. Das will ich glauben.

L e r m a.   Ihren Namen, Prinz,
Hört' ich zu öftern Malen.

C a r l o s.   Hoffentlich
Kein schlimmes Zeichen.

L e r m a.   Auch ward heute morgen
Im Schlafgemache Seiner Majestät
Der Königin sehr rätselhaft erwähnt.

C a r l o s *(tritt bestürzt zurück)*.
Graf Lerma?

L e r m a.   Als der Marquis weggegangen,
Empfing ich den Befehl, ihn künftighin   3540
Unangemeldet vorzulassen.

C a r l o s.   Das
Ist wirklich viel.

L e r m a.   Ganz ohne Beispiel, Prinz,
Solang mir denkt, daß ich dem König diene.

C a r l o s. Viel! Wahrlich viel! – Und wie? wie, sagten Sie,
Wie ward der Königin erwähnt?

L e r m a *(tritt zurück)*.   Nein, Prinz,
Nein! Das ist wider meine Pflicht.

C a r l o s.   Wie seltsam!
Sie sagen mir das eine und verhehlen
Das andre mir.

L e r m a.   Das erste war ich Ihnen,
Das zweite bin ich dem Monarchen schuldig.

C a r l o s. – Sie haben recht.

L e r m a.   Den Marquis hab ich zwar 3550
Als Mann von Ehre stets gekannt.

C a r l o s.   Dann haben
Sie ihn sehr gut gekannt.

L e r m a.   Jedwede Tugend
Ist fleckenfrei – bis auf den Augenblick
Der Probe.

C a r l o s.   Auch wohl hier und da noch drüber.

L e r m a. Und eines großen Königs Gunst dünkt mir

Der Frage wert. An diesem goldnen Angel
Hat manche starke Tugend sich verblutet.
C a r l o s. O ja.
L e r m a.   Oft sogar ist es weise, zu entdecken,
Was nicht verschwiegen bleiben kann.
C a r l o s.   Ja! weise!
Doch, wie Sie sagen, haben Sie den Marquis   3560
Als Mann von Ehre nur gekannt?
L e r m a.   Ist er
Es *noch,* so macht mein Zweifel ihn nicht schlechter,
Und Sie, mein Prinz, gewinnen doppelt. *(Er will gehen.)*
C a r l o s *(folgt ihm gerührt und drückt ihm die Hand).*
                                                Dreifach
Gewinn ich, edler, würd'ger Mann – ich sehe
Um einen Freund mich reicher, und es kostet
Mir den nicht, den ich schon besaß.
                    (Lerma geht ab.)

FÜNFTER AUFTRITT

Marquis von Posa kommt durch die Galerie. Carlos.

M a r q u i s.   Karl! Karl!
C a r l o s. Wer ruft? Ah! Du bist's! Eben recht. Ich eile
Voraus ins Kloster. Komm bald nach. *(Er will fort.)*
M a r q u i s.   Nur zwo
Minuten – bleib.
C a r l o s.   Wenn man uns überfiele –
M a r q u i s.
Man wird doch nicht. Es ist sogleich geschehen.   3570
Die Königin –
C a r l o s.   Du warst bei meinem Vater?
M a r q u i s. Er ließ mich rufen; ja.
C a r l o s *(voll Erwartung).*   Nun?
M a r q u i s.   Es ist richtig.
Du wirst sie sprechen.
C a r l o s.   Und der König? Was
Will denn der König?
M a r q u i s.   Der? Nicht viel – Neugierde,
Zu wissen, wer ich bin – Dienstfertigkeit
Von unbestellten guten Freunden. Was
Weiß ich? Er bot mir Dienste an.

Carlos.   Die du
Doch abgelehnt?
Marquis.   Versteht sich.
Carlos.   Und wie kamt
Ihr auseinander?
Marquis.   Ziemlich gut.
Carlos.   Von mir
War also wohl die Rede nicht?
Marquis.   Von dir?   3580
Doch. Ja. Im allgemeinen.
(Er zieht sein Souvenir heraus und gibt es dem Prinzen.)
                              Hier vorläufig
Zwei Worte von der Königin, und morgen
Werd ich erfahren, wo und wie—
Carlos *(liest sehr zerstreut, steckt die Schreibtafel ein
und will gehen).*   Beim Prior
Triffst du mich also.
Marquis.   Warte doch. Was eilst du?
Es kommt ja niemand.
Carlos *(mit erkünsteltem Lächeln).*
                         Haben wir denn wirklich
Die Rollen umgetauscht? Du bist ja heute
Erstaunlich sicher.
Marquis.   Heute? Warum heute?
Carlos. Und was schreibt mir die Königin?
Marquis.   Hast du
Denn nicht im Augenblick gelesen?
Carlos.   Ich?
Ja so.
Marquis. Was hast du denn? Was ist dir?
Carlos *(liest das Geschriebene noch einmal. Entzückt und
feurig).*   Engel   3590
Des Himmels! Ja! Ich will es sein – ich will –
Will deiner wert sein – Große Seelen macht
Die Liebe größer. Sei's auch, was es sei.
Wenn *du* es mir gebietest, ich gehorche. –
Sie schreibt, daß ich auf eine wichtige
Entschließung mich bereiten soll. Was kann
Sie damit meinen? Weißt du nicht?
Marquis.   Wenn ich's
Auch wüßte, Karl – bist du auch jetzt gestimmt,
Es anzuhören?

Carlos.   Hab ich dich beleidigt?
  Ich war zerstreut. Vergib mir, Roderich.   3600
Marquis. Zerstreut? Wodurch?
Carlos.   Durch – ich weiß selber nicht.
  Dies Souvenir ist also mein?
Marquis.   Nicht ganz!
  Vielmehr bin ich gekommen, mir sogar
  Deins auszubitten.
Carlos.   Meins! Wozu?
Marquis.   Und was
  Du etwa sonst an Kleinigkeiten, die
  In keines Dritten Hände fallen dürfen,
  An Briefen oder abgerissenen
  Konzepten bei dir führst – kurz deine ganze
  Brieftasche –
Carlos.   Wozu aber?
Marquis.   Nur auf alle Fälle.
  Wer kann für Überraschung stehn? Bei mir   3610
  Sucht sie doch niemand. Gib.
Carlos *(sehr unruhig)*.   Das ist doch seltsam!
  Woher auf einmal diese –
Marquis.   Sei ganz ruhig.
  Ich will nichts damit angedeutet haben.
  Gewißlich nicht. Es ist Behutsamkeit
  Vor der Gefahr. So hab ich's nicht gemeint,
  So wahrlich nicht, daß du erschrecken solltest.
Carlos *(gibt ihm die Brieftasche)*.
  Verwahr sie gut.
Marquis.   Das werd ich.
Carlos *(sieht ihn bedeutend an)*. Roderich!
  Ich gab dir viel.
Marquis.   Noch immer nicht so viel,
  Als ich von dir schon habe – Dort also
  Das übrige, und jetzt leb wohl – leb wohl. *(Er will gehen.)*
Carlos *(kämpft zweifelhaft mit sich selbst – endlich ruft
  er ihn zurück)*.
  Gib mir die Briefe doch noch einmal. Einer   3621
  Von ihr ist auch darunter, den sie damals,
  Als ich so tödlich krank gelegen, nach
  Alcala mir geschrieben. Stets hab ich
  Auf meinem Herzen ihn getragen. Mich
  Von diesem Brief zu trennen, fällt mir schwer.

Laß mir den Brief – nur den – das übrige
Nimm alles.
(Er nimmt ihn heraus und gibt die Brieftasche zurück.)
Marquis.   Karl, ich tu es ungern. Just
Um diesen Brief war mir's zu tun.
Carlos.   Leb wohl!
*(Er geht langsam und still weg, an der Türe bleibt er
einen Augenblick stehen, kehrt wieder um und bringt ihm
den Brief.)*
Da hast du ihn.
*(Seine Hand zittert. Tränen stürzen aus seinen Augen, er
fällt dem Marquis um den Hals und drückt sein Gesicht wi-
der dessen Brust.)*
            Das kann mein Vater nicht?   3630
Nicht wahr, mein Roderich? *Das* kann er doch nicht?
(Er geht schnell fort.)

SECHSTER AUFTRITT

Marquis *(sieht ihm erstaunt nach).*
Wär's möglich? Wär' es? Also hätt' ich ihn
Doch nicht gekannt? Nicht ganz? In seinem Herzen
Wär' diese Falte wirklich mir entgangen?
Mißtrauen gegen seinen Freund!
Nein! Es ist Lästerung! – Was tat er mir,
Daß ich der Schwächen schwächster ihn verklage?
Was ich ihn zeihe, werd ich selbst – Befremden –
Das mag es ihn, das glaub ich gern. Wann hätte
Er dieser seltsamen Verschlossenheit   3640
Zu seinem Freunde sich versehn? – Auch schmerzen!
Ich kann dir's nicht ersparen, Karl, und länger
Muß ich noch deine gute Seele quälen.
Der König glaubte dem Gefäß, dem er
Sein heiliges Geheimnis übergeben,
Und Glauben fordert Dankbarkeit. Was wäre
Geschwätzigkeit, wenn mein Verstummen dir
Nicht Leiden bringt? Vielleicht erspart? Warum
Dem Schlafenden die Wetterwolke zeigen,
Die über seinem Scheitel hängt? – Genug,   3650
Daß ich sie still an dir vorüberführe
Und, wenn du aufwachst, heller Himmel ist.
(Er geht ab.)

Kabinett des Königs.

SIEBENTER AUFTRITT

Der König in einem Sessel – neben ihm die Infantin Clara Eugenia.

K ö n i g *(nach einem tiefen Stillschweigen).*
  Nein! Es ist dennoch meine Tochter – Wie
  Kann die Natur mit solcher Wahrheit lügen?
  Dies blaue Auge ist ja mein! Find ich
  In jedem dieser Züge mich nicht wieder?
  Kind meiner Liebe, ja, du bist's. Ich drücke
  Dich an mein Herz – du bist mein Blut.
  (Er stutzt und hält inne.)   Mein Blut!
  Was kann ich Schlimmres fürchten? Meine Züge,
  Sind sie die *seinigen* nicht auch?
  *(Er hat das Medaillon in die Hand genommen und sieht
  wechselsweise auf das Bild und in einen gegenüberstehen-
  den Spiegel – endlich wirft er es zur Erde, steht schnell
  auf und drückt die Infantin von sich.)*
                                   Weg! Weg!   3660
  In diesem Abgrund geh ich unter.

ACHTER AUFTRITT

Graf Lerma. Der König.

L e r m a.   Eben
  Sind Ihro Majestät die Königin
  Im Vorgemach erschienen.
K ö n i g.   Jetzt?
L e r m a.   Und bitten
  Um gnädigstes Gehör –
K ö n i g.   Jetzt aber? Jetzt?
  In dieser ungewohnten Stunde? – Nein!
  Jetzt kann ich sie nicht sprechen – jetzt nicht –
L e r m a.   Hier
  Sind Ihro Majestät schon selbst – *(Er geht ab.)*

NEUNTER AUFTRITT

Der König. Die Königin tritt herein. Die Infantin.

*(Die letztere fliegt ihr entgegen und schmiegt sich an sie an.
Die Königin fällt vor dem König nieder, welcher stumm und
verwirrt steht.)*

K ö n i g i n.   Mein Herr
  Und mein Gemahl – ich muß – ich bin gezwungen,
  Vor Ihrem Thron Gerechtigkeit zu suchen.
K ö n i g. Gerechtigkeit –
K ö n i g i n.   Unwürdig seh ich mir   3670
  An diesem Hof begegnet. Meine
  Schatulle ist erbrochen –
K ö n i g.   Was?
K ö n i g i n.   Und Sachen
  Von großem Wert für mich daraus verschwunden –
K ö n i g. Von großem Wert für Sie –
K ö n i g i n.   Durch die Bedeutung,
  Die eines Unbelehrten Dreistigkeit
  Vermögend wäre –
K ö n i g.   Dreistigkeit – Bedeutung –
  Doch – stehn Sie auf.
K ö n i g i n.   Nicht eher, mein Gemahl,
  Bis Sie durch ein Versprechen sich gebunden,
  Kraft Ihres königlichen Arms zu meiner
  Genugtuung den Täter mir zu stellen,   3680
  Wo nicht, von einem Hofstaat mich zu trennen,
  Der meinen Dieb verbirgt –
K ö n i g.   Stehn Sie doch auf –
  In dieser Stellung – Stehn Sie auf –
K ö n i g i n *(steht auf).*   Daß er
  Von Range sein muß, weiß ich – denn in der
  Schatulle lag an Perlen und Demanten
  Weit über eine Million, und er
  Begnügte sich mit Briefen –
K ö n i g.   Die ich doch –
K ö n i g i n. Recht gerne, mein Gemahl. Er waren Briefe
  Und ein Medaillon von dem Infanten.
K ö n i g. Von –
K ö n i g i n.   Dem Infanten, Ihrem Sohn.
K ö n i g.   An Sie?   3690

K ö n i g i n. An mich.

K ö n i g.   Von dem Infanten! Und das sagen
Sie *mir*?

K ö n i g i n. Warum nicht Ihnen, mein Gemahl?

K ö n i g. Mit dieser Stirne!

K ö n i g i n.   Was fällt Ihnen auf?
Ich denke, Sie erinnern sich der Briefe,
Die mit Bewilligung von beiden Kronen
Don Carlos mir nach Saint Germain geschrieben.
Ob auch das Bild, womit er sie begleitet,
In diese Freiheit einbedungen worden,
Ob seine rasche Hoffnung eigenmächtig
Sich diesen kühnen Schritt erlaubt – das will   3700
Ich zu entscheiden mich nicht unterfangen.
Wenn's Übereilung war, so war es die
Verzeihlichste – da bin ich für ihn Bürge!
Denn damals fiel ihm wohl nicht bei, daß es
Für seine Mutter wäre –
(Sieht die Bewegung des Königs.)   Was ist das?
Was haben Sie?

I n f a n t i n *(welche unterdessen das Medaillon auf dem
Boden gefunden und damit gespielt hat, bringt es der Kö-
nigin).*   Ah! Sieh da, meine Mutter!
Das schöne Bild –

K ö n i g i n.   Was denn, mein –
*(Sie erkennt das Medaillon und bleibt in sprachloser Erstar-
rung stehen. Beide sehen einander mit unverwandten Au-
        gen an. Nach einem langen Stillschweigen.)*
                         Wahrlich, Sire!
Dies Mittel, seiner Gattin Herz zu prüfen,
Dünkt mir sehr königlich und edel – Doch
Noch eine Frage möcht' ich mir erlauben.   3710

K ö n i g. Das Fragen ist an mir.

K ö n i g i n.   Durch meinen Argwohn
Soll doch die Unschuld wenigstens nicht leiden –
Wenn also dieser Diebstahl Ihr Befehl
Gewesen –

K ö n i g.   Ja.

K ö n i g i n.   Dann hab ich niemand anzuklagen
Und niemand weiter zu bedauern – niemand
Als *Sie*, dem *die* Gemahlin nicht geworden,
Bei welcher solche Mittel sich verlohnen.

K ö n i g. *Die* Sprache kenn ich – Doch, Madam,
Zum zweiten Male soll sie mich nicht täuschen,
Wie in Aranjuez sie mich getäuscht.   3720
Die engelreine Königin, die damals
Mit so viel Würde sich verteidigt – jetzt
Kenn ich sie besser.
K ö n i g i n.   Was ist das?
K ö n i g.   Kurz also
Und ohne Hinterhalt, Madam! – Ist's wahr,
Noch wahr, daß Sie mit niemand dort gesprochen?
Mit niemand? Ist das wirklich wahr?
K ö n i g i n.   Mit dem Infanten
Hab ich gesprochen. Ja.
K ö n i g.   Ja? – Nun, so ist's
Am Tage. Es ist offenbar. So frech!
So wenig Schonung meiner Ehre!
K ö n i g i n.   Ehre, Sire?
Wenn Ehre zu verletzen war, so fürcht ich,   3730
Stand eine größre auf dem Spiel, als mir
Kastilien zur Morgengabe brachte.
K ö n i g. Warum verleugneten Sie mir?
K ö n i g i n.   Weil ich
Es nicht gewohnt bin, Sire, in Gegenwart
Der Höflinge, auf Delinquenten Weise
Verhören mich zu lassen. Wahrheit werde
Ich nie verleugnen, wenn mit Ehrerbietung
Und Güte sie gefordert wird – Und war
Das wohl der Ton, den Eure Majestät
Mir in Aranjuez zu hören gaben?   3740
Ist etwa die versammelte Grandezza
Der Richterstuhl, vor welchen Königinnen
Zu ihrer stillen Taten Rechenschaft
Gezogen werden? Ich gestattete
Dem Prinzen die Zusammenkunft, um die
Er dringend bat. Ich tat es, mein Gemahl,
Weil ich es wollte – weil ich den Gebrauch
Nicht über Dinge will zum Richter setzen,
Die ich für tadellos erkannt – und Ihnen
Verbarg ich es, weil ich nicht lüstern war,   3750
Mit Eurer Majestät um diese Freiheit
Vor meinem Hofgesinde mich zu streiten.
K ö n i g. Sie sprechen kühn, Madam, sehr –

K ö n i g i n.   Und auch darum,
  Setz ich hinzu, weil der Infant doch schwerlich
  Der Billigkeit, die er verdient, sich zu
  Erfreuen hat in seines Vaters Herzen –
K ö n i g. Die er verdient?
K ö n i g i n.   Denn warum soll ich es
  Verbergen, Sire? – ich schätz ihn sehr und lieb ihn
  Als meinen teuersten Verwandten, der
  Einst wert befunden worden, einen Namen   3760
  Zu führen, der mich mehr anging – Ich habe
  Noch nicht recht einsehn lernen, daß er mir
  Gerade darum fremder sollte sein
  Als jeder andre, weil er ehedem
  Vor jedem andern teuer mir gewesen.
  Wenn Ihre Staatsmaxime Bande knüpft,
  Wie sie für gut es findet, soll es ihr
  Doch etwas schwerer werden, sie zu lösen.
  Ich will nicht hassen, wen ich soll – und weil
  Man endlich doch zu reden mich gezwungen –   3770
  Ich will es nicht – will meine Wahl nicht länger
  Gebunden sehn –
K ö n i g.   Elisabeth! Sie haben
  In schwachen Stunden mich gesehen. Diese
  Erinnerung macht Sie so kühn. Sie trauen
  Auf eine Allmacht, die Sie oft genug
  An meiner Festigkeit geprüft – Doch fürchten
  Sie desto mehr. Was bis zu Schwächen mich
  Gebracht, kann auch zu Raserei mich führen.
K ö n i g i n. Was hab ich denn begangen?
K ö n i g *(nimmt ihre Hand).*   Wenn es ist,
  Doch ist – und ist es denn nicht schon? – wenn Ihrer   3780
  Verschuldung volles, aufgehäuftes Maß
  Auch nur um eines Atems Schwere steigt –
  Wenn ich der Hintergangne bin –
  (Er läßt ihre Hand los.)   Ich kann
  Auch über diese letzte Schwäche siegen.
  Ich kann's und will's – Dann wehe mir und Ihnen,
  Elisabeth!
K ö n i g i n. Was hab ich denn begangen?
K ö n i g. Dann meinetwegen fließe Blut –
K ö n i g i n.   So weit
  Ist es gekommen – Gott!

K ö n i g.   Ich kenne
Mich selbst nicht mehr – ich ehre keine Sitte
Und keine Stimme der Natur und keinen   3790
Vertrag der Nationen mehr –
K ö n i g i n.   Wie sehr
Beklag ich Eure Majestät –
K ö n i g *(außer Fassung).*   Beklagen!
Das Mitleid einer Buhlerin –
I n f a n t i n *(hängt sich erschrocken an ihre Mutter).*
                                    Der König zürnt,
Und meine schöne Mutter weint.
K ö n i g *(stößt das Kind unsanft von der Königin).*
K ö n i g i n *(mit Sanftmut und Würde, aber mit zitternder*
    Stimme).   Dies Kind
Muß ich doch sicherstellen vor Mißhandlung.
Komm mit mir, meine Tochter.
    (Sie nimmt sie auf den Arm.) Wenn der König
Dich nicht mehr kennen will, so muß ich jenseits
Der Pyrenäen Bürgen kommen lassen,
Die unsre Sache führen. *(Sie will gehen.)*
K ö n i g *(betreten).*   Königin?
K ö n i g i n. Ich kann nicht mehr – das ist zu viel –   3800
    (Sie will die Türe erreichen und fällt mit dem Kinde an
    der Schwelle zu Boden.)
K ö n i g *(hinzueilend, voll Bestürzung).*
    Gott! Was ist das? –
I n f a n t i n *(ruft voll Schrecken).*
                                    Ach! Meine Mutter blutet!
    (Sie eilt hinaus.)
K ö n i g *(ängstlich um sie beschäftigt).*
    Welch fürchterlicher Zufall! Blut! Verdien ich,
    Daß Sie so hart mich strafen? Stehn Sie auf.
    Erholen Sie sich! Stehn Sie auf! Man kommt!
    Man überrascht uns – Stehn Sie auf – Soll sich
    Mein ganzer Hof an diesem Schauspiel weiden?
    Muß ich Sie bitten, aufzustehn?
        (Sie richtet sich auf, von dem König unterstützt.)

ZEHNTER AUFTRITT

Die Vorigen. Alba, Domingo treten erschrocken herein. Damen folgen.

König.   Man bringe
Die Königin zu Hause. Ihr ist übel.
(Die Königin geht ab, begleitet von den Damen. Alba und Domingo treten näher.)
Alba. Die Königin in Tränen, und auf ihrem
Gesichte Blut –
König.   Das nimmt die Teufel wunder,   3810
Die mich verleitet haben?
Alba. Domingo.   Wir?
König.   Die mir
Genug gesagt, zum Rasen mich zu bringen;
Zu meiner Überzeugung nichts.
Alba.   Wir gaben,
Was wir gehabt –
König.   Die Hölle dank' es euch.
Ich habe, was mich reut, getan. War das
Die Sprache eines schuldigen Gewissens?
Marquis von Posa *(noch außerhalb der Szene)*.
Ist der Monarch zu sprechen?

ELFTER AUFTRITT

Marquis von Posa. Die Vorigen.

König *(bei dieser Stimme lebhaft auffahrend und dem Marquis einige Schritte entgegengehend).*   Ach! Das ist er!
Seid mir willkommen, Marquis – Eurer, Herzog,
Bedarf ich jetzt nicht mehr. Verlaßt uns.
(Alba und Domingo sehen einander mit stummer Verwunderung an und gehen.)

ZWÖLFTER AUFTRITT

Der König und Marquis von Posa.

Marquis.   Sire!
Dem alten Manne, der in zwanzig Schlachten   3820
Dem Tod für Sie entgegenging, fällt es
Doch hart, sich so entfernt zu sehn!

König.   Euch ziemt
Es, so zu denken, so zu handeln mir.
Was Ihr in wenig Stunden mir gewesen,
War er in einem Menschenalter nicht.
Ich will nicht heimlichtun mit meinem Wohlgefallen;
Das Siegel meiner königlichen Gunst
Soll hell und weit auf Eurer Stirne leuchten.
Ich will den Mann, den ich zum Freund gewählt,
Beneidet sehn.
Marquis.   Und dann auch, wenn die Hülle   3830
Der Dunkelheit allein ihn fähig machte,
Des Namens wert zu sein?
König.   Was bringt
Ihr mir?
Marquis. Als ich das Vorgemach durchgehe,
Hör ich von einem schrecklichen Gerüchte,
Das mir unglaublich deucht – Ein heftiger
Wortwechsel – Blut – die Königin –
König. Ihr kommt von dort?
Marquis.   Entsetzen sollt' es mich,
Wenn das Gerücht nicht unrecht hätte, wenn
Von Eurer Majestät indes vielleicht
Etwas geschehen wäre – Wichtige   3840
Entdeckungen, die ich gemacht, verändern
Der Sache ganze Lage.
König.   Nun?
Marquis.   Ich fand
Gelegenheit, des Prinzen Portefeuille
Mit einigen Papieren wegzunehmen,
Die, wie ich hoffe, ein'ges Licht –
(Er gibt Carlos' Brieftasche dem König.)
König *(durchsucht sie begierig)*.   Ein Schreiben
Vom Kaiser, meinem Vater – Wie? Von dem
Ich nie gehört zu haben mich entsinne?
*(Er liest es durch, legt es beiseite und eilt zu den andern
Papieren.)*
Der Plan zu einer Festung – Abgerißne
Gedanken aus dem Tacitus – Und was
Denn hier? – Die Hand sollt' ich doch kennen!   3850
Es ist von einer Dame.
(Er liest aufmerksam, bald laut, bald leise.)
            »Dieser Schlüssel – –

Die hintern Zimmer im Pavillon
Der Königin« – – Ha! Was wird das? – »Hier darf
Die Liebe frei – Erhörung – schöner Lohn« –
Satanische Verräterei! Jetzt kenn ich's,
Sie ist es. Es ist ihre Hand!

M a r q u i s.   Die Hand
Der Königin? Unmöglich –

K ö n i g.   Der Prinzessin
Von Eboli –

M a r q u i s.   So wär' es wahr, was mir
Unlängst der Page Henarez gestanden,
Der Brief und Schlüssel überbrachte.

K ö n i g (des Marquis Hand fassend, in heftiger Bewegung).
                              Marquis,   3860
Ich sehe mich in fürchterlichen Händen!
Dies Weib – Ich will es nur gestehen – Marquis,
Dies Weib erbrach der Königin Schatulle,
Die erste Warnung kam von ihr – Wer weiß,
Wieviel der Mönch drum wissen mag – Ich bin
Durch ein verruchtes Bubenstück betrogen.

M a r q u i s. Dann wär' es ja noch glücklich –

K ö n i g.   Marquis! Marquis!
Ich fange an, zu fürchten, daß ich meiner
Gemahlin doch zuviel getan –

M a r q u i s.   Wenn zwischen
Dem Prinzen und der Königin geheime   3870
Verständnisse gewesen sind, so waren
Sie sicherlich von weit – weit anderm Inhalt,
Als dessen man sie angeklagt. Ich habe
Gewisse Nachricht, daß des Prinzen Wunsch,
Nach Flandern abzureisen, in dem Kopfe
Der Königin entsprang.

K ö n i g.   Ich glaubt' es immer.

M a r q u i s. Die Königin hat Ehrgeiz – Darf ich mehr
Noch sagen? – mit Empfindlichkeit sieht sie
In ihrer stolzen Hoffnung sich getäuscht
Und von des Thrones Anteil ausgeschlossen.   3880
Des Prinzen rasche Jugend bot sich ihren
Weitblickenden Entwürfen dar – ihr Herz –
Ich zweifle, ob sie lieben kann.

K ö n i g.   Vor ihren
Staatsklugen Planen zittr' ich nicht.

M a r q u i s. Ob sie geliebt wird? – Ob von dem Infanten
   Nichts Schlimmeres zu fürchten? Diese Frage
   Scheint mir der Untersuchung wert. Hier, glaub ich,
   Ist eine strenge Wachsamkeit vonnöten –
K ö n i g. Ihr haftet mir für ihn –
M a r q u i s *(nach einigem Bedenken).*
                              Wenn Eure Majestät
   Mich fähig halten, dieses Amt zu führen,   3890
   So muß ich bitten, es uneingeschränkt
   Und *ganz* in meine Hand zu übergeben.
K ö n i g. Das soll geschehen.
M a r q u i s.   Wenigstens durch keinen
   Gehilfen, welchen Namen er auch habe,
   In Unternehmungen, die ich etwa
   Für nötig finden könnte, mich zu stören –
K ö n i g. Durch keinen. Ich versprech es Euch. Ihr wart
   Mein guter Engel. Wieviel Dank bin ich
   Für diesen Wink Euch schuldig!
     (Zu Lerma, der bei den letzten Worten hereintritt.)
                              Wie verließt Ihr
   Die Königin?
L e r m a.   Noch sehr erschöpft von ihrer Ohnmacht.
   *(Er sieht den Marquis mit zweideutigen Blicken an und
   geht.)*
M a r q u i s *(nach einer Pause zum König).*
   Noch eine Vorsicht scheint mir nötig.   3901
   Der Prinz, fürcht ich, kann Warnungen erhalten.
   Er hat der guten Freunde viel – vielleicht
   Verbindungen in Gent mit den Rebellen.
   Die Furcht kann zu verzweifelten Entschlüssen
   Ihn führen – Darum riet' ich an, gleich jetzt
   Vorkehrungen zu treffen, diesem Fall
   Durch ein geschwindes Mittel zu begegnen.
K ö n i g. Ihr habt ganz recht. Wie aber –
M a r q u i s.   Ein geheimer
   Verhaftsbefehl, den Eure Majestät   3910
   In meine Hände niederlegen, mich
   Im Augenblicke der Gefahr sogleich
   Desselben zu bedienen – und –
        (Wie sich der König zu bedenken scheint.)
                              Es bliebe
   Vors erste Staatsgeheimnis, bis –

König (*zum Schreibepult gehend und den Verhafts-*
befehl niederschreibend). Das Reich
Ist auf dem Spiele – Außerordentliche Mittel
Erlaubt die dringende Gefahr – Hier, Marquis –
Euch brauch ich keine Schonung zu empfehlen –
Marquis (*empfängt den Verhaftsbefehl*).
Es ist aufs Äußerste, mein König.
König (*legt die Hand auf seine Schulter*). Geht!
Geht, lieber Marquis – Ruhe meinem Herzen
Und meinen Nächten Schlaf zurückzubringen. 3920
(*Beide gehen ab zu verschiedenen Seiten.*)

Galerie.

DREIZEHNTER AUFTRITT

Carlos kommt in der größten Beängstigung. Graf Lerma ihm
entgegen.

Carlos. Sie such ich eben.
Lerma. Und ich Sie.
Carlos. Ist's wahr?
Um Gottes willen, ist es wahr?
Lerma. Was denn?
Carlos. Daß er den Dolch nach ihr gezückt? daß man
Aus seinem Zimmer blutig sie getragen?
Bei allen Heiligen! Antworten Sie.
Was muß ich glauben? Was ist wahr?
Lerma. Sie fiel
Ohnmächtig hin und ritzte sich im Fallen.
Sonst war es nichts.
Carlos. Sonst hat es nicht Gefahr?
Sonst nicht? Bei Ihrer Ehre, Graf?
Lerma. Nicht für
Die Königin – doch desto mehr für Sie. 3930
Carlos. Für meine Mutter nicht! Nun Gott sei Dank!
Mir kam ein schreckliches Gerücht zu Ohren,
Der König rase gegen Kind und Mutter,
Und ein Geheimnis sei entdeckt.
Lerma. Das letzte
Kann auch wohl wahr sein –
Carlos. Wahr sein! Wie?

L e r m a. Prinz, *eine* Warnung gab ich Ihnen heute,
Die Sie verachtet haben. Nützen Sie
Die zwote besser.
C a r l o s.   Wie?
L e r m a.   Wenn ich mich anders
Nicht irre, Prinz, sah ich vor wen'gen Tagen
Ein Portefeuille von himmelblauem Samt,   3940
Mit Gold durchwirkt, in Ihrer Hand –
C a r l o s *(etwas bestürzt)*.   So eins
Besitz ich. Ja – Nun? –
L e r m a.   Auf der Decke, glaub ich,
Ein Schattenriß, mit Perlen eingefaßt –
C a r l o s. Ganz recht.
L e r m a.   Als ich vorhin ganz unvermutet
Ins Kabinett des Königs trat, glaubt' ich
Das nämliche in seiner Hand zu sehen,
Und Marquis Posa stand bei ihm –
C a r l o s *(nach einem kurzen erstarrenden Stillschweigen,*
heftig).   Das ist
Nicht wahr.
L e r m a *(empfindlich)*. Dann freilich bin ich ein Betrüger.
C a r l o s *(sieht ihn lange an)*. Der sind Sie. Ja.
L e r m a.   Ach! ich verzeih es Ihnen.
C a r l o s *(geht in schrecklicher Bewegung auf und nieder*
und bleibt endlich vor ihm stehen).
Was hat er dir zuleid getan? Was haben   3950
Die unschuldsvollen Bande dir getan,
Die du mit höllischer Geschäftigkeit
Zu reißen dich beeiferst?
L e r m a.   Prinz, ich ehre
Den Schmerz, der Sie unbillig macht.
C a r l o s.   O Gott!
Gott! – Gott! Bewahre mich vor Argwohn!
L e r m a.   Auch
Erinn' ich mich des Königs eigner Worte:
Wie vielen Dank, sagt' er, als ich hereintrat,
Bin ich für diese Neuigkeit Euch schuldig!
C a r l o s. O stille! stille!
L e r m a.   Herzog Alba soll
Gefallen sein – dem Prinzen Ruy Gomez   3960
Das große Siegel abgenommen und
Dem Marquis übergeben sein –

Carlos *(in tiefes Grübeln verloren).*
                              Und mir verschwieg er!
  Warum verschwieg er mir?
Lerma.   Der ganze Hof
  Staunt ihn schon als allmächtgen Minister,
  Als unumschränkten Günstling an –
Carlos.   Er hat
  Mich liebgehabt, sehr lieb. Ich war ihm teuer
  Wie seine eigne Seele. Oh, das weiß ich –
  Das haben tausend Proben mir erwiesen.
  Doch sollen Millionen ihm, soll ihm
  Das Vaterland nicht teurer sein als einer?   3970
  Sein Busen war für einen Freund zu groß,
  Und Carlos' Glück zu klein für seine Liebe.
  Er opferte mich seiner Tugend. Kann
  Ich ihn drum schelten? – Ja! Es ist gewiß!
  Jetzt ist's gewiß. Jetzt hab ich ihn verloren.
  (Er geht seitwärts und verhüllt das Gesicht.)
Lerma *(nach einigem Stillschweigen).*
  Mein bester Prinz, was kann ich für Sie tun?
Carlos *(ohne ihn anzusehen).*
  Zum König gehen und mich auch verraten.
  Ich habe nichts zu schenken.
Lerma.   Wollen Sie
  Erwarten, was erfolgen mag?
Carlos *(stützt sich auf das Geländer und sieht starr vor
  sich hinaus).*   Ich hab ihn
  Verloren. Oh! Jetzt bin ich ganz verlassen!   3980
Lerma *(nähert sich ihm mit teilnehmender Rührung).*
  Sie wollen nicht auf Ihre Rettung denken?
Carlos. Auf meine Rettung? – Guter Mensch!
Lerma.   Und sonst,
  Sonst haben Sie für niemand mehr zu zittern?
Carlos *(fährt auf).*
  Gott! Woran mahnen Sie mich! – Meine Mutter!
  Der Brief, den ich ihm wiedergab! ihm erst
  Nicht lassen wollte und doch ließ!
  (Er geht, heftig und die Hände ringend, auf und nieder.)
                              Womit
  Hat *sie* es denn verdient um ihn? *Sie* hätt' er
  Doch schonen sollen. Lerma, hätt' er nicht?
  (Rasch, entschlossen.)

Ich muß zu ihr – ich muß sie warnen, muß
Sie vorbereiten – Lerma, lieber Lerma –   3990
Wen schick ich denn? Hab ich denn niemand mehr?
Gott sei gelobt! Noch *einen* Freund – und hier
Ist nichts mehr zu verschlimmern. *(Schnell ab.)*
L e r m a *(folgt ihm und ruft ihm nach).*
                                Prinz! Wohin? *(Geht ab.)*

Ein Zimmer der Königin.

VIERZEHNTER AUFTRITT

Die Königin. Alba. Domingo.

A l b a. Wenn uns vergönnt ist, große Königin –
K ö n i g i n. Was steht zu Ihren Diensten?
D o m i n g o.   Redliche Besorgnis
Für Ihrer Königlichen Majestät
Erhabene Person erlaubt uns nicht,
Bei einem Vorfall müßig stillzuschweigen,
Der Ihre Sicherheit bedroht.
A l b a.   Wir eilen,
Durch unsre zeit'ge Warnung ein Komplott,   4000
Das wider Sie gespielt wird, zu entkräften –
D o m i n g o. Und unsern Eifer – unsre Dienste zu
Den Füßen Ihrer Majestät zu legen.
K ö n i g i n *(sieht sie verwundert an).*
Hochwürd'ger Herr, und Sie, mein edler Herzog,
Sie überraschen mich wahrhaftig. Solcher
Ergebenheit war ich mir von Domingo
Und Herzog Alba wirklich nicht vermutend.
Ich weiß, wie ich sie schätzen muß – Sie nennen
Mir ein Komplott, das mich bedrohen soll.
Darf ich erfahren, wer – –
A l b a.   Wir bitten Sie,   4010
Vor einem Marquis Posa sich zu hüten,
Der für des Königs Majestät geheime
Geschäfte führt.
K ö n i g i n.   Ich höre mit Vergnügen,
Daß der Monarch so gut gewählt. Den Marquis
Hat man mir längst als einen guten Menschen,

Als einen großen Mann gerühmt. Nie ward
Die höchste Gunst gerechter ausgeteilt –
Domingo. Gerechter ausgeteilt? Wir wissen's besser.
Alba. Es ist längst kein Geheimnis mehr, wozu
Sich dieser Mensch gebrauchen lassen.
Königin.   Wie?   4020
Was wär' denn das? Sie spannen meine ganze
Erwartung.
Domingo.   – Ist es schon von lange,
Daß Ihro Majestät zum letztenmal in Ihrer
Schatulle nachgesehen?
Königin.   Wie?
Domingo.   Und haben
Sie nichts darin vermißt von Kostbarkeiten?
Königin. Wieso? Warum? Was ich vermisse, weiß
Mein ganzer Hof – Doch Marquis Posa? Wie
Kommt Marquis Posa damit in Verbindung?
Alba. Sehr nahe, Ihro Majestät – denn auch
Dem Prinzen fehlen wichtige Papiere,   4030
Die in des Königs Händen diesen Morgen
Gesehen worden – als der Chevalier
Geheime Audienz gehabt.
Königin *(nach einigem Nachdenken)*.   Seltsam,
Bei Gott! und äußerst sonderbar! – Ich finde
Hier einen Feind, von dem mir nie geträumt,
Und wiederum zwei Freunde, die ich nie besessen
Zu haben mich entsinnen kann – Denn wirklich
(Indem sie einen durchdringenden Blick auf beide heftet.)
Muß ich gestehn, ich war schon in Gefahr,
Den schlimmen Dienst, der mir bei meinem Herrn
Geleistet worden – Ihnen zu vergeben.   4040
Alba. Uns?
Königin. Ihnen.
Domingo.   Herzog Alba! Uns!
Königin *(noch immer die Augen fest auf sie gerichtet)*.
                            Wie lieb
Ist es mir also, meiner Übereilung
So bald gewahr zu werden – Ohnehin
Hatt' ich beschlossen, Seine Majestät
Noch heut zu bitten, meinen Kläger mir
Zu stellen. Um so besser nun! So kann ich
Auf Herzog Albas Zeugnis mich berufen.

A l b a. Auf mich? Das wollen Sie im Ernst?
K ö n i g i n.   Warum nicht?
D o m i n g o. Um alle Dienste zu entkräften, die
  Wir Ihnen im Verborgnen –
K ö n i g i n.   Im Verborgnen?   4050
  (Mit Stolz und Ernst.)
  Ich wünschte doch zu wissen, Herzog Alba,
  Was Ihres Königs Frau mit Ihnen, oder
  Mit Ihnen, Priester, abzureden hätte,
  Das ihr Gemahl nicht wissen darf – – Bin ich
  Unschuldig oder schuldig?
D o m i n g o.   Welche Frage!
A l b a. Doch, wenn der König so gerecht nicht wäre?
  Es jetzt zum mindesten nicht wäre?
K ö n i g i n.   Dann
  Muß ich erwarten, bis er's wird – Wohl dem,
  Der zu gewinnen hat, wenn er's geworden!
*(Sie macht ihnen eine Verbeugung und geht ab; jene entfer-
      nen sich nach einer andern Seite.)*

      Zimmer der Prinzessin von Eboli.

      FÜNFZEHNTER AUFTRITT

      Prinzessin von Eboli. Gleich darauf Carlos.

E b o l i. So ist sie wahr, die außerordentliche Zeitung,   4060
  Die schon den ganzen Hof erfüllt?
C a r l o s *(tritt herein).*   Erschrecken Sie
  Nicht, Fürstin! Ich will sanft sein wie ein Kind.
E b o l i. Prinz – diese Überraschung.
C a r l o s.   Sind Sie noch
  Beleidigt? Noch?
E b o l i.   Prinz!
C a r l o s *(dringender).*   Sind Sie noch beleidigt?
  Ich bitte, sagen Sie es mir.
E b o l i.   Was soll das?
  Sie scheinen zu vergessen, Prinz – Was suchen
  Sie bei mir?
C a r l o s *(ihre Hand mit Heftigkeit fassend).*
              Mädchen, kannst du ewig hassen?
  Verzeiht gekränkte Liebe nie?

E b o l i *(will sich losmachen).* Woran
　　Erinnern Sie mich, Prinz?
C a r l o s. 　　　　　　　An deine Güte
　　Und meinen Undank – Ach! ich weiß es wohl! 　　4070
　　Schwer hab ich dich beleidigt, Mädchen, habe
　　Dein sanftes Herz zerrissen, habe Tränen
　　Gepreßt aus diesen Engelblicken – ach!
　　Und bin auch jetzt nicht hier, es zu bereuen.
E b o l i. Prinz, lassen Sie mich – ich –
C a r l o s. 　　　　　　　Ich bin gekommen,
　　Weil du ein sanftes Mädchen bist, weil ich
　　Auf deine gute, schöne Seele baue.
　　Sieh, Mädchen, sieh, ich habe keinen Freund mehr
　　Auf dieser Welt als dich allein. Einst warst
　　Du mir so gut – Du wirst nicht ewig hassen 　　4080
　　Und wirst nicht unversöhnlich sein.
E b o l i *(wendet das Gesicht ab).* 　　O stille!
　　Nichts mehr, um Gottes willen, Prinz –
C a r l o s. 　　　　　　　Laß mich
　　An jene goldne Zeiten dich erinnern,
　　An deine Liebe laß mich dich erinnern,
　　An deine Liebe, Mädchen, gegen die
　　Ich so unwürdig mich verging. Laß mich
　　Jetzt gelten machen, was ich dir gewesen,
　　Was deines Herzens Träume mir gegeben –
　　Noch einmal – nur noch *einmal* stelle mich
　　So, wie ich damals war, vor deine Seele, 　　4090
　　Und diesem Schatten opfre, was du mir,
　　Mir ewig nie mehr opfern kannst.
E b o l i. 　　　　　　　O Karl!
　　Wie grausam spielen Sie mit mir!
C a r l o s. 　　　　　　　Sei größer
　　Als dein Geschlecht. Vergiß Beleidigungen,
　　Tu, was vor dir kein Weib getan – nach dir
　　Kein Weib mehr tun wird. Etwas Unerhörtes
　　Fordr' ich von dir – Laß mich – auf meinen Knien
　　Beschwör ich dich – laß mich, zwei Worte laß mich
　　Mit meiner Mutter sprechen. *(Er wirft sich vor ihr nieder.)*

SECHZEHNTER AUFTRITT

Die Vorigen. Marquis von Posa stürzt herein; hinter ihm
zwei Offiziere der königlichen Leibwache.

M a r q u i s *(atemlos, außer sich dazwischentretend).*
                                        Was hat er
Gestanden? Glauben Sie ihm nicht.
C a r l o s *(noch auf den Knien, mit erhobner Stimme).*
                                        Bei allem,   4100
Was heilig –
M a r q u i s *(unterbricht ihn mit Heftigkeit).*
                        Er ist rasend. Hören Sie
Den Rasenden nicht an.
C a r l o s *(lauter, dringender).*   Es gilt um Tod
Und Leben. Führen Sie mich zu ihr.
M a r q u i s *(zieht die Prinzessin mit Gewalt von ihm).*
                                        Ich
Ermorde Sie, wenn Sie ihn hören.
(Zu einem von den Offizieren.)   Graf
Von Cordua. Im Namen des Monarchen.
(Er zeigt den Verhaftsbefehl.)
Der Prinz ist Ihr Gefangener.
(Carlos steht erstarrt, wie vom Donner gerührt. Die Prin-
zessin stößt einen Laut des Schreckens aus und will fliehen,
die Offiziere erstaunen. Eine lange und tiefe Pause. Man
sieht den Marquis sehr heftig zittern und mit Mühe seine
*   Fassung behalten.)*
(Zum Prinzen.)   Ich bitte
Um Ihren Degen – Fürstin Eboli,
Sie bleiben; und
(Zu dem Offizier.)   Sie haften mir dafür,
Daß Seine Hoheit niemand spreche – niemand –
Sie selbst nicht, bei Gefahr des Kopfs!
(Er spricht noch einiges leise mit dem Offizier, darauf
wendet er sich zum andern.)   Ich werfe   4110
Sogleich mich selbst zu des Monarchen Füßen,
Ihm Rechenschaft zu geben –
(Zu Carlos.)   Und auch Ihnen
Erwarten Sie mich, Prinz – in einer Stunde.
(Carlos läßt sich ohne Zeichen des Bewußtseins hinwegfüh-
ren – Nur im Vorübergehen läßt er einen matten, sterbenden
Blick auf den Marquis fallen, der sein Gesicht verhüllt. Die

Prinzessin versucht es noch einmal, zu entfliehen; der Mar-
quis führt sie beim Arme zurück.)

SIEBZEHNTER AUFTRITT

Prinzessin von Eboli. Marquis von Posa.

E b o l i. Um aller Himmel willen, lassen Sie
Mich diesen Ort –
M a r q u i s *(führt sie ganz vor, mit fürchterlichem Ernst).*
Was hat er dir gesagt,
Unglückliche?
E b o l i.   Nichts – Lassen Sie mich – Nichts –
M a r q u i s *(hält sie mit Gewalt zurück. Ernster).*
Wieviel hast du erfahren? Hier ist kein
Entrinnen mehr. Du wirst auf dieser Welt
Es niemand mehr erzählen.
E b o l i *(sieht ihm erschrocken ins Gesicht).*   Großer Gott!
Was meinen Sie damit? Sie wollen mich   4120
Doch nicht ermorden?
M a r q u i s *(zieht einen Dolch).*   In der Tat, das bin
Ich sehr gesonnen. Mach es kurz.
E b o l i.   Mich? Mich?
Oh! ewige Barmherzigkeit! Was hab
Ich denn begangen?
M a r q u i s *(zum Himmel sehend, den Dolch auf ihre*
Brust gesetzt).   Noch ist's Zeit. Noch trat
Das Gift nicht über diese Lippen. Ich
Zerschmettre das Gefäß, und alles bleibt,
Wie es gewesen – Spaniens Verhängnis
Und eines Weibes Leben! –
(Er bleibt in dieser Stellung zweifelhaft ruhen.)
E b o l i *(ist an ihm niedergesunken und sieht ihm fest ins*
Gesicht).   Nun? Was zaudern Sie?
Ich bitte nicht um Schonung – Nein! Ich habe
Verdient zu sterben, und ich will's.
M a r q u i s *(läßt die Hand langsam sinken. Nach einem*
kurzen Besinnen).   Das wäre   4130
So feig, als es barbarisch ist – Nein! Nein!
Gott sei gelobt! – Noch gibt's ein andres Mittel!
(Er läßt den Dolch fallen und eilt hinaus. Die Prinzessin
stürzt fort durch eine andere Türe.)

Ein Zimmer der Königin.

ACHTZEHNTER AUFTRITT

Die Königin *(zur Gräfin Fuentes).*
Was für ein Auflauf im Palaste? Jedes
Getöse, Gräfin, macht mir heute Schrecken.
O sehen Sie doch nach und sagen mir,
Was es bedeutet.
(Die Gräfin Fuentes geht ab, und herein stürzt die Prinzessin von Eboli.)

NEUNZEHNTER AUFTRITT
Königin. Prinzessin von Eboli.

E b o l i *(atemlos, bleich und entstellt vor der Königin niedergesunken).*   Königin! Zu Hilfe!
Er ist gefangen.
K ö n i g i n.   Wer?
E b o l i.   Der Marquis Posa
Nahm auf Befehl des Königs ihn gefangen.
K ö n i g i n. Wen aber? Wen?
E b o l i.   Den Prinzen.
K ö n i g i n.   Rasest du?
E b o l i. Soeben führen sie ihn fort.
K ö n i g i n.   Und wer   4140
Nahm ihn gefangen?
E b o l i.   Marquis Posa.
K ö n i g i n.   Nun!
Gott sei gelobt, daß es der Marquis war,
Der ihn gefangennahm!
E b o l i.   Das sagen Sie
So ruhig, Königin? so kalt? – O Gott!
Sie ahnen nicht – Sie wissen nicht –
K ö n i g i n.   Warum er
Gefangen worden? – Eines Fehltritts wegen,
Vermut ich, der dem heftigen Charakter
Des Jünglings sehr natürlich war.
E b o l i.   Nein! Nein!
Ich weiß es besser – Nein – O Königin!
Verruchte, teuflische Tat! Für ihn   4150
Ist keine Rettung mehr! Er stirbt!
K ö n i g i n.   Er stirbt!

E b o l i. Und seine Mörderin bin ich!

K ö n i g i n.   Er stirbt!
  Wahnsinnige, bedenkst du?

E b o l i.   Und warum –
  Warum er stirbt! – O hätt' ich wissen können,
  Daß es bis dahin kommen würde!

K ö n i g i n *(nimmt sie gütig bei der Hand).*   Fürstin!
  Noch sind Sie außer Fassung. Sammeln Sie
  Erst Ihre Geister, daß Sie ruhiger,
  Nicht in so grauenvollen Bildern, die
  Mein Innerstes durchschauern, mir erzählen.
  Was wissen Sie? Was ist geschehen?

E b o l i.   Oh!   4160
  Nicht diese himmlische Herablassung,
  Nicht diese Güte, Königin! Wie Flammen
  Der Hölle schlägt sie brennend mein Gewissen.
  Ich bin nicht würdig, den entweihten Blick
  Zu ihrer Glorie emporzurichten.
  Zertreten Sie die Elende, die sich,
  Zerknirscht von Reue, Scham und Selbstverachtung,
  Zu Ihren Füßen krümmt.

K ö n i g i n.   Unglückliche!
  Was haben Sie mir zu gestehen?

E b o l i.   Engel   4170
  Des Lichtes! Große Heilige! Noch kennen,
  Noch ahnen Sie den Teufel nicht, dem Sie
  So liebevoll gelächelt – Lernen Sie
  Ihn heute kennen. Ich – ich war der Dieb,
  Der Sie bestohlen.

K ö n i g i n.   Sie?

E b o l i.   Und jene Briefe
  Dem König ausgeliefert –

K ö n i g i n.   Sie?

E b o l i.   Der sich
  Erdreistet hat, Sie anzuklagen –

K ö n i g i n.   Sie –
  Sie konnten –

E b o l i.   Rache – Liebe – Raserei –
  Ich haßte Sie und liebte den Infanten –

K ö n i g i n. Weil Sie ihn liebten –?

E b o l i.   Weil ich's ihm gestanden
  Und keine Gegenliebe fand.

K ö n i g i n *(nach einem Stillschweigen).* O jetzt   4180
   Enträtselt sich mir alles! – Stehn Sie auf.
   Sie liebten ihn – ich habe schon vergeben.
   Es ist nun schon vergessen – stehn Sie auf.
   (Sie reicht ihr den Arm.)
E b o l i.   Nein! Nein!
   Ein schreckliches Geständnis ist noch übrig.
   Nicht eher, große Königin –
K ö n i g i n *(aufmerksam).*   Was werd ich
   Noch hören müssen? Reden Sie –
E b o l i.   Der König –
   Verführung – O Sie blicken weg – Ich lese
   In Ihrem Angesicht Verwerfung – Das
   Verbrechen, dessen ich Sie zeihte – ich
   Beging es selbst.
*(Sie drückt ihr glühendes Gesicht auf den Boden. Die Köni-
gin geht ab. Große Pause. Die Herzogin von Olivarez
kommt nach einigen Minuten aus dem Kabinett, in welches
die Königin gegangen war, und findet die Fürstin noch in
der vorigen Stellung liegen. Sie nähert sich ihr stillschweigend; auf das Geräusch richtet sich die letztere auf und
fährt wie eine Rasende in die Höhe, da sie die Königin nicht
mehr gewahr wird.)*

ZWANZIGSTER AUFTRITT

Prinzessin von Eboli. Herzogin von Olivarez.

E b o l i.   Gott! Sie hat mich verlassen!   4190
   Jetzt ist es aus.
O l i v a r e z *(tritt ihr näher).*   Prinzessin Eboli –
E b o l i. Ich weiß, warum Sie kommen, Herzogin.
   Die Königin schickt Sie heraus, mein Urteil
   Mir anzukündigen – Geschwind!
O l i v a r e z.   Ich habe
   Befehl von Ihrer Majestät, Ihr Kreuz
   Und Ihre Schlüssel in Empfang zu nehmen –
E b o l i *(nimmt ein goldnes Ordenskreuz vom Busen und
   gibt es in die Hände der Herzogin).*
   Doch *einmal* noch ist mir vergönnt, die Hand
   Der besten Königin zu küssen?
O l i v a r e z.   Im

Marienkloster wird man Ihnen sagen,
Was über Sie beschlossen ist.
E b o l i *(unter hervorstürzenden Tränen).*   Ich sehe   4200
Die Königin nicht wieder?
O l i v a r e z *(umarmt sie mit abgewandtem Gesicht).*
                              Leben Sie glücklich!
*(Sie geht schnell fort. Die Prinzessin folgt ihr bis an die
Türe des Kabinetts, welche sogleich hinter der Herzogin
verschlossen wird. Einige Minuten bleibt sie stumm und
unbeweglich auf den Knien davor liegen, dann rafft sie sich
auf und eilt hinweg mit verhülltem Gesicht.)*

EINUNDZWANZIGSTER AUFTRITT

Königin. Marquis von Posa.

K ö n i g i n.
Ach endlich, Marquis! Glücklich, daß Sie kommen!
M a r q u i s *(bleich, mit zerstörtem Gesicht, bebender
Stimme und durch diesen ganzen Auftritt in feierlicher,
tiefer Bewegung).*
Sind Ihro Majestät allein? Kann niemand
In deinen nächsten Zimmern uns behorchen?
K ö n i g i n. Kein Mensch – Warum? Was bringen Sie?
*(Indem sie ihn genauer ansieht und erschrocken zurück-
tritt.)*   Und wie
So ganz verändert! Was ist das? Sie machen
Mich zittern, Marquis – alle Ihre Züge
Wie eines Sterbenden entstellt –
M a r q u i s.   Sie wissen
Vermutlich schon –
K ö n i g i n.   Daß Karl gefangen worden,
Und zwar durch Sie, setzt man hinzu – So ist   4210
Es dennoch wahr? Ich wollt' es keinem Menschen
Als Ihnen glauben.
M a r q u i s.   Es ist wahr.
K ö n i g i n.   Durch Sie?
M a r q u i s. Durch mich.
K ö n i g i n *(sieht ihn einige Augenblicke zweifelhaft an).*
                    Ich ehre Ihre Handlungen,
Auch wenn ich sie nicht fasse – Diesmal aber
Verzeihen Sie dem bangen Weib. Ich fürchte,
Sie spielen ein gewagtes Spiel.

Marquis.   Ich hab es
    Verloren.
Königin.   Gott im Himmel!
Marquis.   Seien Sie
    Ganz ruhig, meine Königin. Für *ihn*
    Ist schon gesorgt. Ich hab es *mir* verloren.
Königin.   Was werd ich hören! Gott!
Marquis.   Denn wer,   4220
    Wer hieß auf einen zweifelhaften Wurf
    Mich alles setzen? Alles! So verwegen,
    So zuversichtlich mit dem Himmel spielen?
    Wer ist der Mensch, der sich vermessen will,
    Des Zufalls schweres Steuer zu regieren
    Und doch nicht der Allwissende zu sein?
    Oh, es ist billig! – Doch warum denn jetzt
    Von mir? Der Augenblick ist kostbar wie
    Das Leben eines Menschen! Und wer weiß,
    Ob aus des Richters karger Hand nicht schon   4230
    Die letzten Tropfen für mich fallen?
Königin.   Aus
    Des Richters Hand? – Welch feierlicher Ton!
    Ich fasse nicht, was diese Reden meinen,
    Doch sie entsetzen mich –
Marquis.   Er ist gerettet!
    Um welchen Preis er's ist, gleichviel! Doch nur
    Für heute. Wenig Augenblicke sind
    Noch sein. Er spare sie. Noch diese Nacht
    Muß er Madrid verlassen.
Königin.   Diese Nacht noch?
Marquis.   Anstalten sind getroffen. In demselben
    Kartäuserkloster, das schon lange Zeit   4240
    Die Zuflucht unsrer Freundschaft war gewesen,
    Erwartet ihn die Post. Hier ist in Wechseln,
    Was mir das Glück auf dieser Welt gegeben.
    Was mangelt, legen *Sie* noch bei. Zwar hätt' ich
    An meinen Karl noch manches auf dem Herzen,
    Noch manches, das er wissen muß; doch leicht
    Könnt' es an Muße mir gebrechen, alles
    Persönlich mit ihm abzutun – Sie sprechen
    Ihn diesen Abend, darum wend ich mich
    An Sie –
Königin.   Um meiner Ruhe willen, Marquis,   4250

Erklären Sie sich deutlicher – nicht in
So fürchterlichen Rätseln reden Sie
Mit mir – Was ist geschehn?
Marquis.   Ich habe noch
Ein wichtiges Bekenntnis abzulegen;
In Ihre Hände leg ich's ab. Mir ward
Ein Glück, wie es nur wenigen geworden:
Ich liebte einen Fürstensohn – Mein Herz,
Nur einem einzigen geweiht, umschloß
Die ganze Welt! – In meines Carlos Seele
Schuf ich ein Paradies für Millionen.   4260
Oh, meine Träume waren schön – Doch es
Gefiel der Vorsehung, mich vor der Zeit
Von meiner schönen Pflanzung abzurufen.
Bald hat er seinen Roderich nicht mehr,
Der Freund hört auf in der Geliebten. Hier,
Hier – hier – auf diesem heiligen Altare,
Im Herzen seiner Königin leg ich
Mein letztes kostbares Vermächtnis nieder,
Hier find er's, wenn ich nicht mehr bin –
(Er wendet sich ab, Tränen ersticken seine Stimme.)
Königin.   Das ist
Die Sprache eines Sterbenden. Noch hoff ich,   4270
Es ist nur Wirkung Ihres Blutes – oder
Liegt Sinn in diesen Reden?
Marquis *(hat sich zu sammeln gesucht und fährt mit
festerem Tone fort).*   Sagen Sie
Dem Prinzen, daß er denken soll des Eides,
Den wir in jenen schwärmerischen Tagen
Auf die geteilte Hostie geschworen.
Den meinigen hab ich gehalten, bin
Ihm treu geblieben bis zum Tod – jetzt ist's
An ihm, den seinigen –
Königin.   Zum Tod?
Marquis.   Er mache –
O sagen Sie es ihm! – das Traumbild wahr,
Das kühne Traumbild eines neuen Staates,   4280
Der Freundschaft göttliche Geburt. Er lege
Die erste Hand an diesen rohen Stein.
Ob er vollende oder unterliege –
Ihm einerlei! Er lege Hand an. Wenn
Jahrhunderte dahingeflohen, wird'

Die Vorsicht einen Fürstensohn, wie er,
Auf einem Thron, wie seiner, wiederholen
Und ihren neuen Liebling mit derselben
Begeisterung entzünden. Sagen Sie
Ihm, daß er für die Träume seiner Jugend   4290
Soll Achtung tragen, wenn er Mann sein wird,
Nicht öffnen soll dem tötenden Insekte
Gerühmter besserer Vernunft das Herz
Der zarten Götterblume – daß er nicht
Soll irre werden, wenn des Staubes Weisheit
Begeisterung, die Himmelstochter, lästert.
Ich hab es ihm zuvorgesagt –

K ö n i g i n.   Wie, Marquis?
Und wozu führt –

M a r q u i s.   Und sagen Sie ihm, daß
Ich Menschenglück auf seine Seele lege,
Daß ich es sterbend von ihm fordre – fordre!   4300
Und sehr dazu berechtigt war. Es hätte
Bei mir gestanden, einen neuen Morgen
Heraufzuführen über diese Reiche.
Der König schenkte mir sein Herz. Er nannte
Mich seinen Sohn – Ich führe seine Siegel,
Und seine Alba sind nicht mehr. *(Er hält inne und sieht
einige Augenblicke stillschweigend auf die Königin.)*
                                        Sie weinen –
O diese Tränen kenn ich, schöne Seele;
Die Freude macht sie fließen. Doch vorbei,
Es ist vorbei. Karl oder ich. Die Wahl
War schnell und schrecklich. Einer war verloren,   4310
Und *ich* will dieser eine sein – ich lieber –
Verlangen Sie nicht mehr zu wissen.

K ö n i g i n.   Jetzt,
Jetzt endlich fang ich an, Sie zu begreifen –
Unglücklicher, was haben Sie getan?

M a r q u i s. Zwo kurze Abendstunden hingegeben,
Um einen hellen Sommertag zu retten.
Den König geb ich auf. Was kann ich auch
Dem König sein? – In diesem starren Boden
Blüht keine meiner Rosen mehr – Europas
Verhängnis reift in meinem großen Freunde!   4320
Auf ihn verweis ich Spanien – Es blute
Bis dahin unter Philipps Hand! – Doch weh!

Weh mir und ihm, wenn ich bereuen sollte,
Vielleicht das Schlimmere gewählt! – Nein! Nein!
Ich kenne meinen Carlos – das wird nie
Geschehn – und meine Bürgin, Königin,
Sind *Sie*!
(Nach einigem Stillschweigen.)
       Ich sah sie keimen, diese Liebe, sah
Der Leidenschaften unglückseligste
In seinem Herzen Wurzel fassen – Damals
Stand es in meiner Macht, sie zu bekämpfen.   4330
Ich tat es nicht. Ich nährte diese Liebe,
Die mir nicht unglückselig war. Die Welt
Kann anders richten. Ich bereue nicht.
Mein Herz klagt mich nicht an. Ich sahe Leben,
Wo sie nur Tod – In dieser hoffnungslosen Flamme
Erkannt' ich früh der Hoffnung goldnen Strahl.
Ich wollt' ihn führen zum Vortrefflichen,
Zur höchsten Schönheit wollt' ich ihn erheben:
Die Sterblichkeit versagte mir ein Bild,
Die Sprache Worte – da verwies ich ihn   4340
Auf *dieses* – meine ganze Leitung war,
Ihm seine Liebe zu erklären.
Königin.   Marquis,
Ihr Freund erfüllte Sie so ganz, daß Sie
Mich über ihm vergaßen. Glaubten Sie
Im Ernst mich aller Weiblichkeit entbunden,
Da Sie zu seinem Engel mich gemacht,
Zu seinen Waffen Tugend ihm gegeben?
Das überlegten Sie wohl nicht, wieviel
Für unser Herz zu wagen ist, wenn wir
Mit solchen Namen Leidenschaft veredeln.   4350
Marquis. Für alle Weiber, nur für *eines* nicht.
Auf *eines* schwör ich – Oder sollten Sie,
Sie der Begierden edelster sich schämen,
Der Heldentugend Schöpferin zu sein?
Was geht es König Philipp an, wenn seine
Verklärung in Escurial den Maler,
Der vor ihr steht, mit Ewigkeit entzündet?
Gehört die süße Harmonie, die in
Dem Saitenspiele schlummert, seinem Käufer,
Der es mit taubem Ohr bewacht? Er hat   4360
Das Recht erkauft, in Trümmern es zu.schlagen,

Doch nicht die Kunst, dem Silberton zu rufen
Und in des Liedes Wonne zu zerschmelzen.
Die Wahrheit ist vorhanden für den Weisen,
Die Schönheit für ein fühlend Herz. Sie beide
Gehören füreinander. Diesen Glauben
Soll mir kein feiges Vorurteil zerstören.
Versprechen Sie mir, ewig ihn zu lieben,
Von Menschenfurcht, von falschem Heldenmut
Zu nichtiger Verleugnung nie versucht,   4370
Unwandelbar und ewig ihn zu lieben;
Versprechen Sie mir dieses? – Königin –
Versprechen Sie's in meine Hand?
K ö n i g i n.   Mein Herz,
Versprech ich Ihnen, soll allein und ewig
Der Richter meiner Liebe sein.
M a r q u i s *(zieht seine Hand zurück).*   Jetzt sterb ich
Beruhigt – Meine Arbeit ist getan.
(Er neigt sich gegen die Königin und will gehen.)
K ö n i g i n *(begleitet ihn schweigend mit den Augen).*
Sie gehen, Marquis – ohne mir zu sagen,
Wenn wir – wie bald – uns wiedersehn?
M a r q u i s *(kommt noch einmal zurück, das Gesicht abge-*
wendet).   Gewiß!
Wir sehn uns wieder.
K ö n i g i n.   Ich verstand Sie, Posa –
Verstand Sie recht gut – Warum haben Sie   4380
Mir das getan?
M a r q u i s.   Er oder ich.
K ö n i g i n.   Nein! Nein!
Sie stürzten sich in diese Tat, die Sie
Erhaben nennen. Leugnen Sie nur nicht.
Ich kenne Sie, Sie haben längst darnach
Gedürstet – Mögen tausend Herzen brechen,
Was kümmert Sie's, wenn sich Ihr Stolz nur weidet.
O jetzt – jetzt lern ich Sie verstehn! Sie haben
Nur um Bewunderung gebuhlt.
M a r q u i s *(betroffen, vor sich).*   Nein! Darauf
War ich nicht vorbereitet –
K ö n i g i n *(nach einem Stillschweigen).*   Marquis!
Ist keine Rettung möglich?
M a r q u i s.   Keine.
K ö n i g i n.   Keine?   4390

Besinnen Sie sich wohl. Ist keine möglich?
Auch nicht durch mich?
M a r q u i s.   Auch nicht durch Sie.
K ö n i g i n.   Sie kennen mich
Zur Hälfte nur – ich habe Mut.
M a r q u i s.   Ich weiß es.
K ö n i g i n. Und keine Rettung?
M a r q u i s.   Keine.
K ö n i g i n *(verläßt ihn und verhüllt das Gesicht).*
                                   Gehen Sie!
Ich schätze keinen Mann mehr.
M a r q u i s *(in der heftigsten Bewegung vor ihr nieder-
geworfen).*   Königin!
– O Gott! das Leben ist doch schön.
*(Er springt auf und geht schnell fort. Die Königin in ihr
Kabinett.)*

Vorzimmer des Königs.

ZWEIUNDZWANZIGSTER AUFTRITT

*Herzog von Alba und Domingo gehen stillschweigend und
abgesondert auf und nieder. Graf Lerma kommt aus dem
Kabinett des Königs. Alsdann Don Raimond von Taxis, der
Oberpostmeister.*

L e r m a. Ob sich der Marquis noch nicht blicken lassen?
A l b a. Noch nicht.
                (Lerma will wieder hineingehen.)
T a x i s *(tritt auf).* Graf Lerma, melden Sie mich an.
L e r m a. Der König ist für niemand.
T a x i s.   Sagen Sie,
Ich muß ihn sprechen – Seiner Majestät   4400
Ist äußerst dran gelegen. Eilen Sie.
Es leidet keinen Aufschub.
                (Lerma geht ins Kabinett.)
A l b a *(tritt zum Oberpostmeister).* Lieber Taxis,
Gewöhnen Sie sich zur Geduld. Sie sprechen
Den König nicht –
T a x i s.   Nicht? Und warum?
A l b a.   Sie hätten
Die Vorsicht denn gebraucht, sich die Erlaubnis

Beim Chevalier von Posa auszuwirken,
Der Sohn und Vater zu Gefangnen macht.
T a x i s.
Von Posa? Wie? Ganz recht! Das ist derselbe,
Aus dessen Hand ich diesen Brief empfangen –
A l b a. Brief? Welchen Brief?
T a x i s.   Den ich nach Brüssel habe
Befördern sollen –
A l b a *(aufmerksam)*.   Brüssel?
T a x i s.   Den ich eben   4411
Dem König bringe –
A l b a.   Brüssel! Haben Sie
Gehört, Kaplan? Nach Brüssel!
D o m i n g o *(tritt dazu)*.   Das ist sehr
Verdächtig.
T a x i s.   Und wie ängstlich, wie verlegen
Er mir empfohlen worden!
D o m i n g o.   Ängstlich? So!
A l b a. An wen ist denn die Aufschrift?
T a x i s.   An den Prinzen
Von Nassau und Oranien.
A l b a.   An Wilhelm? –
Kaplan! Das ist Verräterei.
D o m i n g o.   Was könnt'
Es anders sein? – Ja freilich, diesen Brief
Muß man sogleich dem König überliefern.   4420
Welch ein Verdienst von Ihnen, würd'ger Mann,
So streng zu sein in Ihres Königs Dienst!
T a x i s. Hochwürd'ger Herr, ich tat nur meine Pflicht.
A l b a. Sie taten wohl.
L e r m a *(kommt aus dem Kabinett. Zum Oberpostmei-
ster)*.   Der König will Sie sprechen.
                    (Taxis geht hinein.)
Der Marquis immer noch nicht da?
D o m i n g o.   Man sucht
Ihn aller Orten.
A l b a.   Sonderbar und seltsam.
Der Prinz ein Staatsgefangner, und der König
Noch selber ungewiß, warum?
D o m i n g o.   Er war
Nicht einmal hier, ihm Rechenschaft zu geben?
A l b a. Wie nahm es denn der König auf?

L e r m a.   Der König   4430
  Sprach noch kein Wort.
                (Geräusch im Kabinett.)
A l b a.   Was war das? Still!
T a x i s *(aus dem Kabinett).*   Graf Lerma!
                (Beide hinein.)
A l b a *(zu Domingo).*
  Was geht hier vor?
D o m i n g o.   Mit diesem Ton des Schreckens!
  Wenn dieser aufgefangne Brief? – Mir ahnet
  Nichts Gutes, Herzog.
A l b a.   Lerma läßt er rufen!
  Und wissen muß er doch, daß Sie und ich
  Im Vorsaal –
D o m i n g o.   Unsre Zeiten sind vorbei.
A l b a. Bin ich derselbe denn nicht mehr, dem hier
  Sonst alle Türen sprangen? Wie ist alles
  Verwandelt um mich her – wie fremd –
D o m i n g o *(hat sich leise der Kabinettstüre genähert und
  bleibt lauschend davor stehen).*   Horch!
A l b a *(nach einer Pause).*   Alles
  Ist totenstill. Man hört sie Atem holen.   4440
D o m i n g o. Die doppelte Tapete dämpft den Schall.
A l b a. Hinweg! Man kommt.
D o m i n g o *(verläßt die Türe).*   Mir ist so feierlich,
  So bang, als sollte dieser Augenblick
  Ein großes Los entscheiden.

DREIUNDZWANZIGSTER AUFTRITT

*Der Prinz von Parma, die Herzoge von Feria und Medina
Sidonia mit noch einigen andern Granden treten auf. Die
Vorigen.*

P a r m a.   Ist der König
  Zu sprechen?
A l b a.   Nein.
P a r m a.   Nein? Wer ist bei ihm?
F e r i a.   Marquis
  Von Posa ohne Zweifel?
A l b a.   Den erwartet man
  Soeben.

Parma. Diesen Augenblick
Sind wir von Saragossa eingetroffen.
Der Schrecken geht durch ganz Madrid – Ist es
Denn wahr?
Domingo. Ja leider.
Feria.   Es ist wahr? Er ist   4450
Durch den Malteser in Verhaft genommen?
Alba. So ist's.
Parma.   Warum? Was ist geschehn?
Alba.   Warum?
Das weiß kein Mensch als Seine Majestät
Und Marquis Posa.
Parma.   Ohne Zuziehung
Der Cortes seines Königreichs?
Feria.   Weh dem,
Der teilgehabt an dieser Staatsverletzung.
Alba. Weh ihm! So ruf ich auch.
Medina Sidonia.   Ich auch.
Die übrigen Granden.   Wir alle.
Alba. Wer folgt mir in das Kabinett? – Ich werfe
Mich zu des Königs Füßen.
Lerma *(stürzt aus dem Kabinett).* Herzog Alba!
Domingo.   Endlich!
Gelobt sei Gott!
                (Alba eilt hinein.)
Lerma *(atemlos, in großer Bewegung).*
                    Wenn der Malteser kommt,   4460
Der Herr ist jetzo nicht allein, er wird
Ihn rufen lassen –
Domingo *(zu Lerma, indem sich alle übrigen voll neugieriger Erwartung um ihn versammeln).*
                    Graf, was ist geschehen?
Sie sind ja blaß wie eine Leiche.
Lerma *(will forteilen).*   Das
Ist teuflisch!
Parma und Feria. Was denn? Was denn?
Medina Sidonia.   Was macht
Der König?
Domingo *(zugleich).* Teuflisch? Was denn?
Lerma.   Der König hat
Geweint.
Domingo. Geweint!

A l l e *(zugleich, mit betretnem Erstaunen).*
Der König hat geweint!

(Man hört eine Glocke im Kabinett. Graf Lerma eilt hinein.)
D o m i n g o *(ihm nach, will ihn zurückhalten).*
  Graf, noch ein Wort – Verziehen Sie – Weg ist er!
  Da stehn wir angefesselt von Entsetzen.

VIERUNDZWANZIGSTER AUFTRITT

Prinzessin von Eboli. Feria. Medina Sidonia. Parma. Do-
   mingo und übrige Granden.

E b o l i *(eilig, außer sich).*
  Wo ist der König? Wo? Ich muß ihn sprechen.
  (Zu Feria.)
  Sie, Herzog, führen mich zu ihm.
F e r i a.   Der König   4470
  Hat wichtige Verhinderung. Kein Mensch
  Wird vorgelassen.
E b o l i.   Unterzeichnet er
  Das fürchterliche Urteil schon? Er ist
  Belogen. Ich beweis es ihm, daß er
  Belogen ist.
D o m i n g o *(gibt ihr von ferne einen bedeutenden Wink).*
Prinzessin Eboli!

E b o l i *(geht auf ihn zu).*
  Sie auch da, Priester? Recht! Sie brauch ich eben.
  Sie sollen mir's bekräftigen.
  *(Sie ergreift seine Hand und will ihn ins Kabinett mit
  fortreißen.)*
D o m i n g o.   Ich? – Sind
  Sie bei sich, Fürstin?
F e r i a.   Bleiben Sie zurück.
  Der König hört Sie jetzt nicht an.
E b o l i.   Er muß
  Mich hören. Wahrheit muß er hören – Wahrheit!   4480
  Und wär' er zehenmal ein Gott!
D o m i n g o.   Weg! Weg!
  Sie wagen alles. Bleiben Sie zurück.
E b o l i. Mensch, zittre du vor deines Götzen Zorn.
  Ich habe nichts zu wagen.
(Wie sie ins Kabinett will, stürzt heraus)

Herzog Alba. *(Seine Augen funkeln, Triumph ist in seinem Gang. Er eilt auf Domingo zu und umarmt ihn.)*
                    Lassen Sie
In allen Kirchen ein Tedeum tönen.
Der Sieg ist unser.
Domingo.   Unser?
Alba *(zu Domingo und den übrigen Granden)*.
                    Jetzt hinein
Zum Herrn. Sie sollen weiter von mir hören.

FÜNFTER AKT

Ein Zimmer im königlichen Palast, durch eine eiserne Gittertüre von einem großen Vorhofe abgesondert, in welchem Wachen auf und nieder gehen.

ERSTER AUFTRITT

Carlos, an einem Tische sitzend, den Kopf vorwärts auf die Arme gelegt, als wenn er schlummerte. Im Hintergrunde des Zimmers einige Offiziere, die mit ihm eingeschlossen sind. Marquis von Posa tritt herein, ohne von ihm bemerkt zu werden, und spricht leise mit den Offizieren, welche sich sogleich entfernen. Er selbst tritt ganz nahe vor Carlos und betrachtet ihn einige Augenblicke schweigend und traurig. Endlich macht er eine Bewegung, welche diesen aus seiner Betäubung erweckt.

Carlos *(steht auf, wird den Marquis gewahr und fährt erschrocken zusammen. Dann sieht er ihn eine Weile mit großen, starren Augen an und streicht mit der Hand über die Stirne, als ob er sich auf etwas besinnen wollte).*
Marquis. Ich bin es, Karl.
Carlos *(gibt ihm die Hand)*.
                    Du kommst sogar noch zu mir!
Das ist doch schön von dir.
Marquis.   Ich bildete
Mir ein, du könntest deinen Freund hier brauchen.   4490
Carlos. Wahrhaftig? Meintest du das wirklich? Sieh!

Das freut mich – freut mich unbeschreiblich. Ach!
Ich wußt' es wohl, daß du mir gut geblieben.

M a r q u i s. Ich hab es auch um dich verdient.

C a r l o s.   Nicht wahr?
Oh, wir verstehen uns noch ganz. So hab
Ich's gerne. Diese Schonung, diese Milde
Steht großen Seelen an, wie du und ich.
Laß sein, daß meiner Forderungen eine
Unbillig und vermessen war – mußt du
Mir darum auch die billigen versagen?   4500
Hart kann die Tugend sein, doch grausam nie,
Unmenschlich nie – Es hat dir viel gekostet!
O ja, mir deucht, ich weiß recht gut, wie sehr
Geblutet hat dein sanftes Herz, als du
Dein Opfer schmücktest zum Altare.

M a r q u i s.   Carlos!
Wie meinst du das?

C a r l o s.   Du selbst wirst jetzt vollenden,
Was ich gesollt und nicht gekonnt – *Du* wirst
Den Spaniern die goldnen Tage schenken,
Die sie von mir umsonst gehofft. Mit mir
Ist es ja aus – auf immer aus. Das hast   4510
Du eingesehn – O diese fürchterliche Liebe
Hat alle frühe Blüten meines Geistes
Unwiederbringlich hingerafft. Ich bin
Für *deine* großen Hoffnungen gestorben.
Vorsehung oder Zufall führen dir
Den König zu – Es kostet mein Geheimnis,
Und er ist dein – du kannst sein Engel werden.
Für mich ist keine Rettung mehr – vielleicht
Für Spanien – Ach, hier ist nichts verdammlich,
Nichts, nichts als meine rasende Verblendung,   4520
Bis diesen Tag nicht eingesehn zu haben,
Daß du – so groß als zärtlich bist.

M a r q u i s.   Nein! Das,
Das hab ich nicht vorhergesehen – nicht
Vorhergesehen, daß eines Freundes Großmut
Erfinderischer könnte sein als meine
Weltkluge Sorgfalt. Mein Gebäude stürzt
Zusammen – ich vergaß dein Herz.

C a r l o s.
Zwar, wenn dir's möglich wär' gewesen, *ihr*

Dies Schicksal zu ersparen – sieh, das hätte
Ich unaussprechlich dir gedankt. Konnt' ich   4530
Denn nicht allein es tragen? Mußte sie
Das zweite Opfer sein? – Doch still davon!
Ich will mit keinem Vorwurf dich beladen.
Was geht die Königin *dich* an? Liebst *du*
Die Königin? Soll deine strenge Tugend
Die kleinen Sorgen meiner Liebe fragen?
Verzeih mir – ich war ungerecht.

Marquis.   Du bist's.
Doch – dieses Vorwurfs wegen nicht. Verdient'
Ich *einen*, dann verdient' ich alle – und
Dann würd' ich so nicht vor dir stehen.
(Er nimmt sein Portefeuille heraus.)   Hier   4540
Sind von den Briefen ein'ge wieder, die
Du in Verwahrung mir gegeben. Nimm
Sie zu dir.

Carlos *(sieht mit Verwunderung bald die Briefe, bald
den Marquis an).* Wie?

Marquis.   Ich gebe sie dir wieder,
Weil sie in deinen Händen sichrer jetzt
Sein dürften als in meinen.

Carlos.   Was ist das?
Der König las sie also nicht? bekam
Sie gar nicht zu Gesichte?

Marquis.   *Diese* Briefe?

Carlos. Du zeigtest ihm nicht alle?

Marquis.   Wer sagt dir,
Daß ich ihm *einen* zeigte?

Carlos *(äußerst erstaunt).* Ist es möglich?
Graf Lerma.

Marquis. *Der* hat dir gesagt? – Ja! Nun   4550
Wird alles, alles offenbar! Wer konnte
Das auch voraussehn? – Lerma also? – Nein,
Der Mann hat lügen nie gelernt. Ganz recht,
Die andern Briefe liegen bei dem König.

Carlos *(sieht ihn lange mit sprachlosem Erstaunen an).*
Weswegen bin ich aber hier?

Marquis.   Zur Vorsicht,
Wenn du vielleicht zum zweitenmal versucht
Sein möchtest, eine Eboli zu deiner
Vertrauten zu erwählen –

Carlos *(wie aus einem Traume erwacht).*
                    Ha! Nun endlich!
    Jetzt seh ich – jetzt wird alles Licht –
Marquis *(geht nach der Türe).*   Wer kommt?

ZWEITER AUFTRITT

Herzog Alba. Die Vorigen.

Alba *(nähert sich ehrerbietig dem Prinzen, dem Marquis
    durch diesen ganzen Auftritt den Rücken zuwendend).*
    Prinz, Sie sind frei. Der König schickt mich ab,   4560
    Es Ihnen anzukündigen.
(Carlos sieht den Marquis verwundert an. Alle schweigen still.)
                    Zugleich
    Schätz ich mich glücklich, Prinz, der erste sein
    Zu dürfen, der die Gnade hat –
Carlos *(bemerkt beide mit äußerster Verwunderung.
    Nach einer Pause zum Herzog).*   Ich werde
    Gefangen eingesetzt und frei erklärt,
    Und ohne mir bewußt zu sein, warum
    Ich beides werde?
Alba.   Aus Versehen, Prinz,
    Soviel ich weiß, zu welchem irgendein
    – Betrüger den Monarchen hingerissen.
Carlos. Doch aber ist es auf Befehl des Königs,
    Daß ich mich hier befinde?
Alba.   Ja, durch ein   4570
    Versehen Seiner Majestät.
Carlos.   Das tut
    Mir wirklich leid – Doch wenn der König sich
    Versieht, kommt es dem König zu, in eigner
    Person den Fehler wieder zu verbessern.
*(Er sucht die Augen des Marquis und beobachtet eine
    stolze Herabsetzung gegen den Herzog.)*
    Man nennt mich hier Don Philipps Sohn. Die Augen
    Der Lästerung und Neugier ruhn auf mir.
    Was Seine Majestät aus Pflicht getan,
    Will ich nicht scheinen ihrer Huld zu danken.
    Sonst bin ich auch bereit, vor dem Gerichte
    Der Cortes mich zu stellen – Meinen Degen   4580
    Nehm ich aus solcher Hand nicht an.

A l b a.   Der König
  Wird keinen Anstand nehmen, Eurer Hoheit
  Dies billige Verlangen zu gewähren,
  Wenn Sie vergönnen wollen, daß ich Sie
  Zu ihm begleiten darf —
C a r l o s.   Ich bleibe hier,
  Bis mich der König oder sein Madrid
  Aus diesem Kerker führen. Bringen Sie
  Ihm diese Antwort.
*(Alba entfernt sich. Man sieht ihn noch eine Zeitlang im
       Vorhofe verweilen und Befehle austeilen.)*

DRITTER AUFTRITT

Carlos und Marquis von Posa.

C a r l o s *(nachdem der Herzog hinaus ist, voll Erwartung
  und Erstaunen zum Marquis).*   Was ist aber das?
  Erkläre mir's. Bist du denn nicht Minister?
M a r q u i s. Ich bin's gewesen, wie du siehst.
  (Auf ihn zugehend, mit großer Bewegung.)   O Karl,   4590
  Es hat gewirkt. Es hat. Es ist gelungen.
  Jetzt ist's getan. Gepriesen sei die Allmacht,
  Die es gelingen ließ.
C a r l o s.   Gelingen! Was?
  Ich fasse deine Worte nicht.
M a r q u i s *(ergreift seine Hand).*   Du bist
  Gerettet, Karl – bist frei – und ich – *(Er hält inne.)*
C a r l o s.   Und du?
M a r q u i s. Und ich – ich drücke dich an meine Brust
  Zum erstenmal mit vollem, ganzem Rechte;
  Ich hab es ja mit allem, allem, was
  Mir teuer ist, erkauft – O Karl, wie süß,
  Wie groß ist dieser Augenblick! Ich bin   4600
  Mit mir zufrieden.
C a r l o s.   Welche plötzliche
  Veränderung in deinen Zügen! So
  Hab ich dich nie gesehen. Stolzer hebt
  Sich deine Brust, und deine Blicke leuchten.
M a r q u i s.
  Wir müssen Abschied nehmen, Karl. Erschrick nicht.
  O sei ein Mann. Was du auch hören wirst,

Versprich mir, Karl, nicht durch unbänd'gen Schmerz,
Unwürdig großer Seelen, diese Trennung
Mir zu erschweren – du verlierst mich, Karl –
Auf viele Jahre – Toren nennen es 4610
Auf ewig.
(Carlos zieht seine Hand zurück, sieht ihn starr an und ant-
wortet nichts.)
        Sei ein Mann. Ich habe sehr
Auf dich gerechnet, hab es nicht vermieden,
Die bange Stunde mit dir auszuhalten,
Die man die *letzte* schrecklich nennt – Ja, soll
Ich dir's gestehen, Karl? ich habe mich
Darauf gefreut – Komm, laß uns niedersitzen –
Ich fühle mich erschöpft und matt.
(Er rückt nahe an Carlos, der noch immer in einer toten Er-
starrung ist und sich unwillkürlich von ihm niederziehen
läßt.)
                  Wo bist du?
Du gibst mir keine Antwort? – Ich will kurz sein.
Den Tag nachher, als wir zum letztenmal
Bei den Kartäusern uns gesehn, ließ mich 4620
Der König zu sich fordern. Den Erfolg
Weißt du, weiß ganz Madrid. Das weißt du nicht,
Daß dein Geheimnis ihm verraten worden,
Daß Briefe, in der Königin Schatulle
Gefunden, wider dich gezeugt, daß ich
Aus seinem eignen Munde dies erfahren,
Und daß – ich sein Vertrauter war.
(Er hält inne, Carlos' Antwort zu erfahren; dieser ver-
harrt in seinem Stillschweigen.) Ja, Karl!
Mit meinen Lippen brach ich meine Treue.
Ich selbst regierte das Komplott, das dir
Den Untergang bereitete. Zu laut 4630
Sprach schon die Tat. Dich freizusprechen, war
Zu spät. Mich seiner Rache zu versichern,
War alles, was mir übrigblieb – und so
Ward ich dein Feind, dir kräftiger zu dienen.
– Du hörst mich nicht?
C a r l o s.   Ich höre. Weiter. Weiter.
M a r q u i s. Bis hieher bin ich ohne Schuld. Doch bald
Verraten mich die ungewohnten Strahlen
Der neuen königlichen Gunst. Der Ruf

Dringt bis zu dir, wie ich vorhergesehn.
Doch ich, von falscher Zärtlichkeit bestochen,   4640
Von stolzem Wahn geblendet, ohne dich
Das Wagestück zu enden, unterschlage
Der Freundschaft mein gefährliches Geheimnis.
Das war die große Übereilung! Schwer
Hab ich gefehlt. Ich weiß es. Raserei
War meine Zuversicht. Verzeih – sie war
Auf deiner Freundschaft Ewigkeit gegründet.
(Hier schweigt er. Carlos geht aus seiner Versteinerung in
lebhafte Bewegungen über.)
Was ich befürchtete, geschieht. Man läßt
Dich zittern vor erdichteten Gefahren.
Die Königin in ihrem Blut – das Schrecken   4650
Des widerhallenden Palastes – Lermas
Unglückliche Dienstfertigkeit – zuletzt
Mein unbegreifliches Verstummen, alles
Bestürmt dein überraschtes Herz – du wankst –
Gibst mich verloren – Doch, zu edel selbst,
An deines Freundes Redlichkeit zu zweifeln,
Schmückst du mit Größe seinen Abfall aus,
Nun erst wagst du, ihn treulos zu behaupten,
Weil du noch treulos ihn verehren darfst.
Verlassen von dem einzigen, wirfst du   4660
Der Fürstin Eboli dich in die Arme –
Unglücklicher! in eines Teufels Arme;
Denn diese war's, die dich verriet.
                    (Carlos steht auf.)
                              Ich sehe
Dich dahin eilen. Eine schlimme Ahnung
Fliegt durch mein Herz. Ich folge dir. Zu spät.
Du liegst zu ihren Füßen. Das Geständnis
Floh über deine Lippen schon. Für dich
Ist keine Rettung mehr –
Carlos.   Nein! Nein! Sie war
Gerührt. Du irrest dich. Gewiß war sie
Gerührt.
Marquis.   Da wird es Nacht vor meinen Sinnen!   4670
Nichts – Nichts – Kein Ausweg – Keine Hilfe – Keine
Im ganzen Umkreis der Natur! Verzweiflung
Macht mich zur Furie, zum Tier – ich setze
Den Dolch auf eines Weibes Brust – Doch jetzt –

Jetzt fällt ein Sonnenstrahl in meine Seele.
»Wenn ich den König irrte? Wenn es mir
Gelänge, selbst der Schuldige zu scheinen?
Wahrscheinlich oder nicht! – für ihn genug,
Scheinbar genug für König Philipp, weil
Es übel ist! Es sei! Ich will es wagen.   4680
Vielleicht ein Donner, der so unverhofft
Ihn trifft, macht den Tyrannen stutzen – und
Was will ich mehr? Er überlegt, und Karl
Hat Zeit gewonnen, nach Brabant zu flüchten.«
Carlos. Und das – das hättest du getan?
Marquis.   Ich schreibe
An Wilhelm von Oranien, daß ich
Die Königin geliebt, daß mir's gelungen,
In dem Verdacht, der fälschlich dich gedrückt,
Des Königs Argwohn zu entgehn – daß ich
Durch den Monarchen selbst den Weg gefunden,   4690
Der Königin mich frei zu nahn. Ich setze
Hinzu, daß ich entdeckt zu sein besorge,
Daß du, von meiner Leidenschaft belehrt,
Zur Fürstin Eboli geeilt, vielleicht
Durch ihre Hand die Königin zu warnen –
Daß ich dich hier gefangennahm und nun,
Weil alles doch verloren, willens sei,
Nach Brüssel mich zu werfen – Diesen Brief –
Carlos (fällt ihm erschrocken ins Wort).
Hast du der Post doch nicht vertraut? Du weißt,
Daß alle Briefe nach Brabant und Flandern   4700
Marquis. Dem König ausgeliefert werden – Wie
Die Sachen stehn, hat Taxis seine Pflicht
Bereits getan.
Carlos.   Gott! So bin ich verloren!
Marquis. Du? Warum du?
Carlos.   Unglücklicher, und du
Bist mit verloren. Diesen ungeheuern
Betrug kann dir mein Vater nicht vergeben.
Nein! Den vergibt er nimmermehr.
Marquis.   Betrug?
Du bist zerstreut. Besinne dich. Wer sagt ihm,
Daß es Betrug gewesen?
Carlos (sieht ihm starr ins Gesicht).   Wer, fragst du?
Ich selbst. (Er will fort.)

Marquis. Du rasest. Bleib zurück.
Carlos.   Weg! Weg!   4710
  Um Gottes willen. Halte mich nicht auf.
  Indem ich hier verweile, dingt er schon
  Die Mörder.
Marquis.   Desto edler ist die Zeit.
  Wir haben uns noch viel zu sagen.
Carlos.   Was?
  Eh' er noch alles –
*(Er will wieder fort. Der Marquis nimmt ihn beim Arme
            und sieht ihn bedeutend an.)*
Marquis.   Höre, Carlos – War
  Ich auch so eilig, so gewissenhaft,
  Da du für mich geblutet hast – ein Knabe?
Carlos *(bleibt gerührt und voll Bewunderung vor ihm
  stehen).*
  O gute Vorsicht!
Marquis.   Rette dich für Flandern!
  Das Königreich ist dein Beruf. Für dich
  Zu sterben, war der meinige.
Carlos *(geht auf ihn zu und nimmt ihn bei der Hand,
  voll der innigsten Empfindung).*
                                Nein! Nein!   4720
  Er wird – er kann nicht widerstehn! So vieler
  Erhabenheit nicht widerstehn! – Ich will
  Dich zu ihm führen. Arm in Arme wollen
  Wir zu ihm gehen. Vater, will ich sagen,
  Das hat ein Freund für seinen Freund getan.
  Es wird ihn rühren. Glaube mir! er ist
  Nicht ohne Menschlichkeit, mein Vater. Ja!
  Gewiß, es wird ihn rühren. Seine Augen werden
  Von warmen Tränen übergehn, und dir
  Und mir wird er verzeihn –
*(Es geschieht ein Schuß durch die Gittertüre. Carlos springt
  auf.)*
                        Ha! Wem galt das?   4730
Marquis. Ich glaube – mir. *(Er sinkt nieder.)*
Carlos *(fällt mit einem Schrei des Schmerzens neben ihm
  zu Boden).*   O himmlische
  Barmherzigkeit!
Marquis *(mit brechender Stimme).*
                        Er ist geschwind – der König –

Ich hoffte – länger – Denk auf deine Rettung –
Hörst du? – auf deine Rettung – Deine Mutter
Weiß alles – ich kann nicht mehr –
(Carlos bleibt wie tot bei dem Leichnam liegen. Nach einiger
Zeit tritt der König herein, von vielen Granden begleitet,
und fährt bei diesem Anblick betreten zurück. Eine allge-
meine und tiefe Pause. Die Granden stellen sich in einen
halben Kreis um diese beiden und sehen wechselsweise auf
den König und seinen Sohn. Dieser liegt noch ohne alle Zei-
chen des Lebens – der König betrachtet ihn mit nachdenken-
der Stille.)

VIERTER AUFTRITT

Der König. Carlos. Die Herzoge von Alba, Feria und Me-
dina Sidonia. Der Prinz von Parma. Graf Lerma. Do-
mingo und viele Granden.

K ö n i g *(mit gütigem Ton).*   Deine Bitte
Hat stattgefunden, mein Infant. Hier bin ich,
Ich selbst, mit allen Großen meines Reichs,
Dir Freiheit anzukündigen.
(Carlos blickt auf und sieht um sich her, wie einer, der aus
dem Traume erwacht. Seine Augen heften sich bald auf den
König, bald auf den Toten. Er antwortet nicht.)
                              Empfange
Dein Schwert zurück. Man hat zu rasch verfahren.
(Er nähert sich ihm, reicht ihm die Hand und hilft ihm sich
aufrichten.)
Mein Sohn ist nicht an seinem Platz. Steh auf.   4740
Komm in die Arme deines Vaters.
C a r l o s *(empfängt ohne Bewußtsein die Arme des Kö-*
nigs – besinnt sich aber plötzlich, hält inne und sieht ihn
genauer an.) Dein
Geruch ist Mord. Ich kann dich nicht umarmen.
(Er stößt ihn zurück. Alle Granden kommen in Bewegung.)
Nein! Steht nicht so betroffen da! Was hab
Ich Ungeheures denn getan? Des Himmels
Gesalbten angetastet? Fürchtet nichts.
Ich lege keine Hand an ihn. Seht ihr
Das Brandmal nicht an seiner Stirne? Gott
Hat ihn gezeichnet.

König *(bricht schnell auf).*
                    Folgt mir, meine Granden.
Carlos. Wohin? Nicht von der Stelle, Sire –
(Er hält ihn gewaltsam mit beiden Händen und bekommt
mit der einen das Schwert zu fassen, das der König mit-
gebracht hat. Es fährt aus der Scheide.)
König.   Das Schwert
    Gezückt auf deinen Vater?
Alle anwesende Granden *(ziehen die ihrigen).*
                    Königsmord!   4750
Carlos *(den König fest an der einen Hand, das bloße*
    Schwert in der andern).
    Steckt eure Schwerter ein. Was wollt ihr? Glaubt
    Ihr, ich sei rasend? Nein, ich bin nicht rasend.
    Wär' ich's, so tatet ihr nicht gut, mich zu
    Erinnern, daß auf meines Schwertes Spitze
    Sein Leben schwebt. Ich bitte, haltet euch
    Entfernt. Verfassungen, wie meine, wollen
    Geschmeichelt sein – drum bleibt zurück. Was ich
    Mit diesem König abzumachen habe,
    Geht euren Leheneid nichts an. Seht nur,
    Wie seine Finger bluten! Seht ihn recht an!   4760
    Seht ihr? O seht auch hieher – *Das* hat er
    Getan, der große Künstler!
König *(zu den Granden, welche sich besorgt um ihn her-*
    umdrängen wollen).   Tretet alle
    Zurück. Wovor erzittert ihr? – Sind wir
    Nicht Sohn und Vater? Ich will doch erwarten,
    Zu welcher Schandtat die Natur –
Carlos.   Natur?
    Ich weiß von keiner. Mord ist jetzt die Losung.
    Der Menschheit Bande sind entzwei. Du selbst
    Hast sie zerrissen, Sire, in deinen Reichen.
    Soll ich verehren, was du höhnst? – O seht!
    Seht hieher! Es ist noch kein Mord geschehen   4770
    Als heute – Gibt es keinen Gott? Was? Dürfen
    In seiner Schöpfung Könige so hausen?
    Ich frage, gibt es keinen Gott? Solange Mütter
    Geboren haben, ist nur *einer – einer*
    So unverdient gestorben – Weißt du auch,
    Was du getan hast? Nein, er weiß es nicht,
    Weiß nicht, daß er ein Leben hat gestohlen

Aus dieser Welt, das wichtiger und edler
Und teurer war als er mit seinem ganzen
Jahrhundert.
K ö n i g (*mit gelindem Ton*).
            Wenn ich allzu rasch gewesen, 4780
Geziemt es dir, *für* den ich es gewesen,
Mich zur Verantwortung zu ziehen?
C a r l o s.   Wie?
Ist's möglich? Sie erraten nicht, wer mir
Der Tote war – O sagt es ihm – helft seiner
Allwissenheit das schwere Rätsel lösen.
Der Tote war mein Freund – Und wollt ihr wissen,
Warum er starb? Für mich ist er gestorben.
K ö n i g. Ha! meine Ahnung!
C a r l o s.   Blutender, vergib,
Daß ich vor solchen Ohren es entweihe!
Doch dieser große Menschenkenner sinke 4790
Für Scham dahin, daß seine graue Weisheit
Der Scharfsinn eines Jünglings überlistet.
Ja, Sire! Wir waren Brüder! Brüder durch
Ein edler Band, als die Natur es schmiedet.
Sein schöner Lebenslauf war Liebe. Liebe
Für mich sein großer, schöner Tod. *Mein* war er,
Als *Sie* mit seiner Achtung großgetan,
Als seine scherzende Beredsamkeit
Mit Ihrem stolzen Riesengeiste spielte.
Ihn zu beherrschen wähnten Sie – und waren 4800
Ein folgsam Werkzeug seiner höhern Plane.
Daß ich gefangen bin, war seiner Freundschaft
Durchdachtes Werk. Mich zu erretten, schrieb
Er an Oranien den Brief – O Gott!
Er war die erste Lüge seines Lebens!
Mich zu erretten, warf er sich dem Tod,
Den er erlitt, entgegen. Sie beschenkten ihn
Mit Ihrer Gunst – er starb für mich. Ihr Herz
Und Ihre Freundschaft drangen Sie ihm auf,
Ihr Zepter war das Spielwerk seiner Hände; 4810
Er warf es hin und starb für mich!
(*Der König steht ohne Bewegung, den Blick starr auf den
Boden geheftet. Alle Granden sehen betreten und furchtsam
auf ihn.*)
                Und war

Es möglich? Dieser groben Lüge konnten
Sie Glauben schenken? Wie gering mußt' er
Sie schätzen, da er's unternahm, bei Ihnen
Mit diesem plumpen Gaukelspiel zu reichen!
Um seine Freundschaft wagten Sie zu buhlen
Und unterlagen dieser leichten Probe!
O nein – nein, das war nichts für Sie. Das war
Kein Mensch für Sie! Das wußt' er selbst recht gut,
Als er mit allen Kronen Sie verstoßen.   4820
Dies feine Saitenspiel zerbrach in Ihrer
Metallnen Hand. Sie konnten nichts, als ihn
Ermorden.

A l b a *(hat den König bis jetzt nicht aus den Augen ge-*
lassen und mit sichtbarer Unruhe die Bewegungen beob-
achtet, welche in seinem Gesichte arbeiten. Jetzt nähert er
sich ihm furchtsam).
                    Sire – nicht diese Totenstille. Sehen
Sie um sich. Reden Sie mit uns.

C a r l o s.   Sie waren
Ihm nicht gleichgültig. Seinen Anteil hatten
Sie längst. Vielleicht! Er hätte Sie noch glücklich
Gemacht. Sein Herz war reich genug, Sie selbst
Von seinem Überflusse zu vergnügen.
Die Splitter seines Geistes hätten Sie
Zum Gott gemacht. Sich selber haben Sie   4830
Bestohlen – Was werden
Sie bieten, eine Seele zu erstatten,
Wie diese war?

(Ein tiefes Schweigen. Viele von den Granden sehen weg
oder verhüllen das Gesicht in ihren Mänteln.)
Oh, die ihr hier versammelt steht und vor Entsetzen
Und vor Bewunderung verstummt – verdammet
Den Jüngling nicht, der diese Sprache gegen
Den Vater und den König führt – Seht hieher!
Für mich ist er gestorben! Habt ihr Tränen?
Fließt Blut, nicht glühend Erz, in euren Adern?
Seht hieher und verdammt mich nicht!
(Er wendet sich zum König mit mehr Fassung und Ge-
lassenheit.)
                          Vielleicht   4840
Erwarten Sie, wie diese unnatürliche Geschichte
Sich enden wird? – Hier ist mein Schwert. Sie sind
Mein König wieder. Denken Sie, daß ich

Vor Ihrer Rache zittre? Morden Sie
Mich auch, wie Sie den Edelsten gemordet.
Mein Leben ist verwirkt. Ich weiß. Was ist
Mir jetzt das Leben? Hier entsag ich allem,
Was mich auf dieser Welt erwartet. Suchen
Sie unter Fremdlingen sich einen Sohn –
Da liegen meine Reiche –
(Er sinkt an dem Leichnam nieder und nimmt an dem Fol-
genden keinen Anteil mehr. Man hört unterdessen von
ferne ein verworrenes Getöse von Stimmen und ein Ge-
dräng' vieler Menschen. Um den König herum ist eine tiefe
Stille. Seine Augen durchlaufen den ganzen Kreis, aber nie-
mand begegnet seinen Blicken.)

K ö n i g.   Nun? Will niemand   4850
Antworten? – Jeder Blick am Boden – jedes
Gesicht verhüllt! – Mein Urteil ist gesprochen.
In diesen stummen Mienen les ich es
Verkündigt. Meine Untertanen haben mich
Gerichtet.

(Das vorige Stillschweigen – Der Tumult kommt näher und
wird lauter. Durch die umstehenden Granden läuft ein
Gemurmel, sie geben sich unter einander verlegene Winke;
Graf Lerma stößt endlich leise den Herzog von Alba an.)

L e r m a.   Wahrlich! Das ist Sturm!
A l b a *(leise)*.   So fürcht ich.
L e r m a.   Man dringt herauf. Man kommt.

FÜNFTER AUFTRITT

Ein Offizier von der Leibwache. Die Vorigen.

O f f i z i e r *(dringend)*.   Rebellion!
Wo ist der König? *(Er arbeitet sich durch die Menge und*
dringt bis zum König.)   Ganz Madrid in Waffen!
Zu Tausenden umringt der wütende
Soldat, der Pöbel den Palast. Prinz Carlos,
Verbreitet man, sei in Verhaft genommen,   4860
Sein Leben in Gefahr. Das Volk will ihn
Lebendig sehen oder ganz Madrid
In Flammen aufgehn lassen.
A l l e G r a n d e n *(in Bewegung)*.   Rettet! Rettet
Den König!

A l b a *(zum König, der ruhig und unbeweglich steht).*
          Flüchten Sie sich, Sire – Es hat
  Gefahr – Noch wissen wir nicht, wer
  Den Pöbel waffnet –
K ö n i g *(erwacht aus seiner Betäubung, richtet sich auf und*
  tritt mit Majestät unter sie).
                    Steht mein Thron noch?
  Bin ich noch König dieses Landes? – Nein.
  Ich bin es nicht mehr. Diese Memmen weinen,
  Von einem Knaben weichgemacht. Man wartet
  Nur auf die Losung, von mir abzufallen.   4870
  Ich bin verraten von Rebellen.
A l b a.   Sire,
  Welch fürchterliche Phantasie!
K ö n i g.   Dorthin!
  Dort werft euch nieder! Vor dem blühenden,
  Dem jungen König werft euch nieder – Ich
  Bin nichts mehr – ein ohnmächt'ger Greis!
A l b a.   Dahin
  Ist es gekommen! – Spanier!
(Alle drängen sich um den König herum und knien mit ge-
zogenen Schwertern vor ihm nieder. Carlos bleibt allein
und von allen verlassen bei dem Leichnam.)
K ö n i g *(reißt seinen Mantel ab und wirft ihn von sich).*
                    Bekleidet
  Ihn mit dem königlichen Schmuck – Auf meiner
  Zertretnen Leiche tragt ihn –
      (Er bleibt ohnmächtig in Albas und Lermas Armen.)
L e r m a.   Hilfe! Gott!
F e r i a. Gott! welcher Zufall!
L e r m a.   Er ist von sich –
A l b a *(läßt den König in Lermas und Ferias Händen).*
                            Bringen
  Sie ihn zu Bette. Unterdessen geb ich   4880
  Madrid den Frieden.
(Er geht ab. Der König wird weggetragen, und alle Gran-
den begleiten ihn.)

SECHSTER AUFTRITT

*Carlos bleibt allein bei dem Leichnam zurück. Nach einigen
Augenblicken erscheint Ludwig Mercado, sieht sich schüch-
tern um und steht eine Zeitlang stillschweigend hinter dem
Prinzen, der ihn nicht bemerkt.*

Mercado.   Ich komme
  Von Ihrer Majestät der Königin.
  (Carlos sieht wieder weg und gibt ihm keine Antwort.)
  Mein Name ist Mercado – Ich bin Leibarzt
  Bei Ihrer Majestät – und hier ist meine
  Beglaubigung.
*(Er zeigt dem Prinzen einen Siegelring – Dieser verharrt in
          seinem Stillschweigen.)*
                  Die Königin wünscht sehr,
  Sie heute noch zu sprechen – wichtige
  Geschäfte –
Carlos.   Wichtig ist mir nichts mehr
  Auf dieser Welt.
Mercado.   Ein Auftrag, sagte sie,
  Den Marquis Posa hinterlassen –
Carlos *(steht schnell auf).*   Was?
  Sogleich. *(Er will mit ihm gehen.)*
Mercado.   Nein! Jetzt nicht, gnäd'ger Prinz. Sie müssen
  Die Nacht erwarten. Jeder Zugang ist   4891
  Besetzt und alle Wachen dort verdoppelt.
  Unmöglich ist es, diesen Flügel des
  Palastes ungesehen zu betreten.
  Sie würden alles wagen –
Carlos.   Aber –
Mercado.   Nur
  Ein Mittel, Prinz, ist höchstens noch vorhanden –
  Die Königin hat es erdacht. Sie legt
  Es Ihnen vor – Doch es ist kühn und seltsam
  Und abenteuerlich.
Carlos.   Das ist?
Mercado.   Schon längst
  Geht eine Sage, wie Sie wissen, daß   4900
  Um Mitternacht in den gewölbten Gängen
  Der königlichen Burg, in Mönchsgestalt,
  Der abgeschiedne Geist des Kaisers wandle.
  Der Pöbel glaubt an dies Gerücht, die Wachen

Beziehen nur mit Schauer diesen Posten.
Wenn Sie entschlossen sind, sich dieser
Verkleidung zu bedienen, können Sie
Durch alle Wachen frei und unversehrt
Bis zum Gemach der Königin gelangen,
Das dieser Schlüssel öffnen wird. Vor jedem Angriff   4910
Schützt Sie die heilige Gestalt. Doch auf
Der Stelle, Prinz, muß Ihr Entschluß gefaßt sein.
Das nöt'ge Kleid, die Maske finden Sie
In Ihrem Zimmer. Ich muß eilen, Ihrer Majestät
Antwort zu bringen.
Carlos.   Und die Zeit?
Mercado.   Die Zeit
Ist zwölf Uhr.
Carlos.   Sagen Sie ihr, daß sie mich
Erwarten könne.
                    (Mercado geht ab.)

SIEBENTER AUFTRITT
Carlos. Graf Lerma.

Lerma.   Retten Sie sich, Prinz.
Der König wütet gegen Sie. Ein Anschlag
Auf Ihre Freiheit — wo nicht auf Ihr Leben.
Befragen Sie mich weiter nicht. Ich habe   4920
Mich weggestohlen, Sie zu warnen. Fliehen
Sie ohne Aufschub.
Carlos.   Ich bin in den Händen
Der Allmacht.
Lerma.   Wie die Königin mich eben
Hat merken lassen, sollen Sie noch heute
Madrid verlassen und nach Brüssel flüchten.
Verschieben Sie es nicht, ja nicht! Der Aufruhr
Begünstigt Ihre Flucht. In dieser Absicht
Hat ihn die Königin veranlaßt. Jetzt
Wird man sich nicht erkühnen, gegen Sie
Gewalt zu brauchen. Im Kartäuserkloster   4930
Erwartet Sie die Post, und hier sind Waffen,
Wenn Sie gezwungen sollten sein —
                    (Er gibt ihm einen Dolch und Terzerolen.)
Carlos.   Dank, Dank,
Graf Lerma!

L e r m a.   Ihre heutige Geschichte
  Hat mich im Innersten gerührt. So liebt
  Kein Freund mehr! Alle Patrioten weinen
  Um Sie. Mehr darf ich jetzt nicht sagen.
C a r l o s. Graf Lerma! Dieser Abgeschiedne nannte
  Sie einen edlen Mann.
L e r m a.   Noch einmal, Prinz!
  Reisen Sie glücklich. Schönre Zeiten werden kommen;
  Dann aber werd ich nicht mehr sein. Empfangen   4940
  Sie meine Huldigung schon hier.
  (Er läßt sich auf ein Knie vor ihm nieder.)
C a r l o s *(will ihn zurückhalten. Sehr bewegt).*   Nicht also –
  Nicht also, Graf – Sie rühren mich – Ich möchte
  Nicht gerne weich sein –
L e r m a *(küßt seine Hand mit Empfindung).*
             König meiner Kinder!
  Oh, meine Kinder werden sterben dürfen
  Für Sie. Ich darf es nicht. Erinnern Sie sich meiner
  In meinen Kindern – Kehren Sie in Frieden
  Nach Spanien zurücke. Seien Sie
  Ein Mensch auf König Philipps Thron. Sie haben
  Auch Leiden kennen lernen. Unternehmen Sie
  Nichts Blut'ges gegen Ihren Vater! Ja   4950
  Nichts Blutiges, mein Prinz! Philipp der Zweite
  Zwang Ihren Ältervater, von dem Thron
  Zu steigen – Dieser Philipp zittert heute
  Vor seinem eignen Sohn! *Daran* gedenken
  Sie, Prinz – und so geleite Sie der Himmel!
(Er geht schnell weg. Carlos ist im Begriff, auf einem andern
Wege fortzueilen, kehrt aber plötzlich um und wirft sich vor
dem Leichnam des Marquis nieder, den er noch einmal in
seine Arme schließt. Dann verläßt er schnell das Zimmer.)

Vorzimmer des Königs.

ACHTER AUFTRITT

Herzog von Alba und Herzog von Feria kommen im Ge-
spräch.

A l b a. Die Stadt ist ruhig. Wie verließen Sie
  Den König?

Feria.   In der fürchterlichsten Laune.
Er hat sich eingeschlossen. Was sich auch
Ereignen würde, keinen Menschen will
Er vor sich lassen. Die Verräterei   4960
Des Marquis hat auf einmal seine ganze
Natur verändert. Wir erkennen ihn
Nicht mehr.
Alba.   Ich muß zu ihm. Ich kann ihn diesmal
Nicht schonen. Eine wichtige Entdeckung,
Die eben jetzt gemacht wird —
Feria.   Eine neue
Entdeckung?
Alba.   Ein Kartäusermönch, der in
Des Prinzen Zimmer heimlich sich gestohlen
Und mit verdächt'ger Wißbegier den Tod
Des Marquis Posa sich erzählen lassen,
Fällt meinen Wachen auf. Man hält ihn an.   4970
Man untersucht. Die Angst des Todes preßt
Ihm ein Geständnis aus, daß er Papiere
Von großem Werte bei sich trage, die
Ihm der Verstorbne anbefohlen, in
Des Prinzen Hand zu übergeben — wenn
Er sich vor Sonnenuntergang nicht mehr
Ihm zeigen würde.
Feria.   Nun?
Alba.   Die Briefe lauten,
Daß Carlos binnen Mitternacht und Morgen
Madrid verlassen soll.
Feria.   Was?
Alba.   Daß ein Schiff
In Cadix segelfertig liege, ihn   4980
Nach Vlissingen zu bringen — daß die Staaten
Der Niederlande seiner nur erwarten,
Die span'sche Ketten abzuwerfen.
Feria.   Ha!
Was ist das?
Alba.   Andre Briefe melden,
Daß eine Flotte Solimans bereits
Von Rhodus ausgelaufen — den Monarchen
Von Spanien, laut des geschloßnen Bundes,
Im Mittelländ'schen Meere anzugreifen.
Feria. Ist's möglich?

A l b a.   Ebendiese Briefe lehren
  Die Reisen mich verstehn, die der Malteser   4990
  Durch ganz Europa jüngst getan. Es galt
  Nichts Kleineres, als alle nord'schen Mächte
  Für der Flamänder Freiheit zu bewaffnen.
F e r i a. Das war er!
A l b a.   Diesen Briefen endlich folgt
  Ein ausgeführter Plan des ganzen Krieges,
  Der von der span'schen Monarchie auf immer
  Die Niederlande trennen soll. Nichts, nichts
  Ist übersehen, Kraft und Widerstand
  Berechnet, alle Quellen, alle Kräfte
  Des Landes pünktlich angegeben, alle   5000
  Maximen, welche zu befolgen, alle
  Bündnisse, die zu schließen. Der Entwurf
  Ist teuflisch, aber wahrlich – göttlich.
F e r i a. Welch undurchdringlicher Verräter!
A l b a.   Noch
  Beruft man sich in diesem Brief auf eine
  Geheime Unterredung, die der Prinz
  Am Abend seiner Flucht mit seiner Mutter
  Zustande bringen sollte.
F e r i a.   Wie? Das wäre
  Ja heute.
A l b a.   Diese Mitternacht. Auch hab ich
  Für diesen Fall Befehle schon gegeben.   5010
  Sie sehen, daß es dringt. Kein Augenblick
  Ist zu verlieren – Öffnen Sie das Zimmer
  Des Königs.
F e r i a.   Nein! Der Eintritt ist verboten.
A l b a. So öffn' ich selbst – Die wachsende Gefahr
  Rechtfertigt diese Kühnheit –
(Wie er gegen die Türe geht, wird sie geöffnet, und der Kö-
                  nig tritt heraus.)
F e r i a.   Ha! Er selbst!

NEUNTER AUFTRITT

König zu den Vorigen.

*(Alle erschrecken über seinen Anblick, weichen zurück und
lassen ihn ehrerbietig mittendurch. Er kommt in einem wachen Traume, wie eines Nachtwandlers. – Sein Anzug und
seine Gestalt zeigen noch die Unordnung, worein ihn die
gehabte Ohnmacht versetzt hat. Mit langsamen Schritten
geht er an den anwesenden Granden vorbei, sieht jeden starr
an, ohne einen einzigen wahrzunehmen. Endlich bleibt er
gedankenvoll stehen, die Augen zur Erde gesenkt, bis seine
Gemütsbewegung nach und nach laut wird.)*

König. Gib diesen Toten mir heraus. Ich muß
      Ihn wiederhaben.
Domingo *(leise zum Herzog von Alba).*
                  Reden Sie ihn an.
König *(wie oben).*
      Er dachte klein von mir und starb. Ich muß
      Ihn wiederhaben. Er muß anders von
      Mir denken.
Alba *(nähert sich mit Furcht).*
            Sire –
König.   Wer redet hier?
      (Er sieht lange im ganzen Kreis herum.)
                        Hat man   5020
      Vergessen, wer ich bin? Warum nicht auf
      Den Knieen vor mir, Kreatur? Noch bin
      Ich König. Unterwerfung will ich sehen.
      Setzt alles mich hintan, weil einer mich
      Verachtet hat?
Alba.   Nichts mehr von ihm, mein König!
      Ein neuer Feind, bedeutender als dieser,
      Steht auf im Herzen Ihres Reichs –
Feria.   Prinz Carlos –
König. Er hatte einen Freund, der in den Tod
      Gegangen ist für ihn – für ihn! Mit mir
      Hätt' er ein Königreich geteilt! – Wie er   5030
      Auf mich heruntersah! So stolz sieht man
      Von Thronen nicht herunter. War's nicht sichtbar,
      Wieviel er sich mit *der* Eroberung wußte?
      Was er verlor, gestand sein Schmerz. So wird

Um nichts Vergängliches geweint – Daß er noch lebte!
Ich gäb' ein Indien dafür. Trostlose Allmacht,
Die nicht einmal in Gräber ihren Arm
Verlängern, eine kleine Übereilung
Mit Menschenleben nicht verbessern kann!
Die Toten stehen nicht mehr auf. Wer darf   5040
Mir sagen, daß ich glücklich bin? Im Grabe
Wohnt einer, der mir Achtung vorenthalten.
Was gehn die Lebenden mich an? Ein Geist,
Ein freier Mann stand auf in diesem ganzen
Jahrhundert – Einer – Er verachtet mich
Und stirbt.

A l b a.   So lebten wir umsonst! – Laßt uns
Zu Grabe gehen, Spanier. Auch noch
Im Tode raubt uns dieser Mensch das Herz
Des Königs!

K ö n i g *(er setzt sich nieder, den Kopf auf den Arm ge-
stützt).*   Wär' er *mir* also gestorben!
Ich hab ihn liebgehabt, sehr lieb. Er war   5050
Mir teuer wie ein Sohn. In diesem Jüngling
Ging mir ein neuer, schönrer Morgen auf.
Wer weiß, was ich ihm aufbehalten. Er
War meine erste Liebe. Ganz Europa
Verfluche mich! Europa mag mir fluchen.
Von diesem hab ich Dank verdient.

D o m i n g o.   Durch welche
Bezauberung –

K ö n i g.   Und wem bracht' er dies Opfer?
Dem Knaben, meinem Sohne? Nimmermehr.
Ich glaub es nicht. Für einen Knaben stirbt
Ein Posa nicht. Der Freundschaft arme Flamme   5060
Füllt eines Posa Herz nicht aus. Das schlug
Der ganzen Menschheit. Seine Neigung war
Die Welt mit allen kommenden Geschlechtern.
Sie zu vergnügen, fand er einen Thron –
Und geht vorüber? Diesen Hochverrat
An seiner Menschheit sollte Posa sich
Vergeben? Nein. Ich kenn ihn besser. Nicht
Den Philipp opfert er dem Carlos, nur
Den alten Mann dem Jünglinge, seinem Schüler.
Des Vaters untergehnde Sonne lohnt   5070
Das neue Tagwerk nicht mehr. Das verspart man

Dem nahen Aufgang seines Sohns – Oh, es ist klar!
Auf meinen Hintritt wird gewartet.

Alba.   Lesen Sie
Zu diesen Briefen die Bekräftigung.

König *(steht auf).*
Er könnte sich verrechnet haben. Noch,
Noch bin ich. Habe Dank, Natur, Ich fühle
In meinen Sehnen Jünglingskraft. Ich will
Ihn zum Gelächter machen. Seine Tugend
Sei eines Träumers Hirngespinst gewesen.
Er sei gestorben als Tor. Sein Sturz   5080
Erdrücke seinen Freund und sein Jahrhundert!
Laß sehen, wie man mich entbehrt. Die Welt
Ist noch auf einen Abend mein. Ich will
Ihn nützen, diesen Abend, daß nach mir
Kein Pflanzer mehr in zehen Menschenaltern
Auf dieser Brandstatt ernten soll. Er brachte
Der Menschheit, seinem Götzen, mich zum Opfer;
Die Menschheit büße mir für ihn! – Und jetzt –
Mit seiner Puppe fang ich an.
(Zum Herzog von Alba.)   Was war's
Mit dem Infanten? Wiederholt es mir. Was lehren   5090
Mich diese Briefe?

Alba.   Diese Briefe, Sire,
Enthalten die Verlassenschaft des Marquis
Von Posa an Prinz Karl.

König *(durchläuft die Papiere, wobei er von allen Um-
stehenden scharf beobachtet wird. Nachdem er eine Zeit-
lang gelesen, legt er sie weg und geht stillschweigend
durch das Zimmer).*   Man rufe mir
Den Inquisitor Kardinal. Ich laß
Ihn bitten, eine Stunde mir zu schenken.
*(Einer von den Granden geht hinaus. Der König nimmt die
Papiere wieder, liest fort und legt sie abermals weg.)*
In dieser Nacht also?

Taxis.   Schlag zwei Uhr soll
Die Post vor dem Kartäuserkloster halten.

Alba. Und Leute, die ich ausgesendet, sahen
Verschiednes Reis'geräte, an dem Wappen
Der Krone kenntlich, nach dem Kloster tragen.   5100

Feria. Auch sollen große Summen auf den Namen
Der Königin bei maurischen Agenten

Betrieben worden sein, in Brüssel zu
Erheben.

König. Wo verließ man den Infanten?

Alba. Beim Leichnam des Maltesers.

König.   Ist noch Licht im Zimmer
Der Königin?

Alba.   Dort ist alles still. Auch hat
Sie ihre Kammerfrauen zeitiger,
Als sonsten zu geschehen pflegt, entlassen.
Die Herzogin von Arcos, die zuletzt
Aus ihrem Zimmer ging, verließ sie schon   5110
In tiefem Schlafe.

*(Ein Offizier von der Leibwache tritt herein, zieht den
Herzog von Feria auf die Seite und spricht leise mit ihm.
Dieser wendet sich betreten zum Herzog von Alba, andre
    drängen sich hinzu, und es entsteht ein Gemurmel.)*

Feria, Taxis, Domingo *(zugleich)*.
            Sonderbar!

König. Was gibt es?

Feria.   Eine Nachricht, Sire, die kaum
Zu glauben ist –

Domingo.   Zween Schweizer, die soeben
Von ihrem Posten kommen, melden – Es
Ist lächerlich, es nachzusagen.

König.   Nun?

Alba. Daß in dem linken Flügel des Palasts
Der Geist des Kaisers sich erblicken lassen
Und mit beherztem, feierlichen Schritt an ihnen
Vorbeigegangen. Ebendiese Nachricht
Bekräft'gen alle Wachen, die durch diesen   5120
Pavillon verbreitet stehn, und setzen
Hinzu, daß die Erscheinung in den Zimmern
Der Königin verschwunden.

König.   Und in welcher
Gestalt erschien er?

Offizier.   In dem nämlichen
Gewand, das er zum letztenmal in Justi
Als Hieronymitermönch getragen.

König. Als Mönch? Und also haben ihn die Wachen
Im Leben noch gekannt? Denn woher wußten
Sie sonst, daß es der Kaiser war?

Offizier.   Daß es

Der Kaiser müsse sein, bewies das Zepter,   5130
Das er in Händen trug.

D o m i n g o.   Auch will man ihn
Schon öfters, wie die Sage geht, in dieser
Gestalt gesehen haben.

K ö n i g.   Angeredet hat
Ihn niemand?

O f f i z i e r.   Niemand unterstand sich.
Die Wachen sprachen ihr Gebet und ließen
Ihn ehrerbietig mittendurch.

K ö n i g.   Und in den Zimmern
Der Königin verlor sich die Erscheinung?

O f f i z i e r. Im Vorgemach der Königin.

(Allgemeines Stillschweigen.)

K ö n i g *(wendet sich schnell um).*   Wie sagt ihr?

A l b a. Sire, wir sind stumm.

K ö n i g *(nach einigem Besinnen zu dem Offizier).*
                    Laßt meine Garden unter
Die Waffen treten und jedweden Zugang   5140
Zu diesem Flügel sperren. Ich bin lüstern,
Ein Wort mit diesem Geist zu reden.

(Der Offizier geht ab. Gleich darauf ein Page.)

P a g e.   Sire!
Der Inquisitor Kardinal.

K ö n i g *(zu den Anwesenden).* Verlaßt uns.
(Der Kardinal Großinquisitor, ein Greis von neunzig Jah-
ren und blind, auf einen Stab gestützt und von zwei Domini-
kanern geführt. Wie er durch ihre Reihen geht, werfen sich
alle Granden vor ihm nieder und berühren den Saum seines
*   Kleides. Er erteilt ihnen den Segen. Alle entfernen sich.)*

ZEHNTER AUFTRITT

Der König und der Großinquisitor.

(Ein langes Stillschweigen.)

G r o ß i n q u i s i t o r.   Steh
Ich vor dem König?

K ö n i g.   Ja.

G r o ß i n q u i s i t o r.   Ich war mir's nicht mehr
Vermutend.

König.   Ich erneure einen Auftritt
   Vergangner Jahre. Philipp der Infant
   Holt Rat bei seinem Lehrer.
Großinquisitor.   Rat bedurfte
   Mein Zögling Karl, Ihr großer Vater, niemals.
König. Um so viel glücklicher war er. Ich habe
   Gemordet, Kardinal, und keine Ruhe –   5150
Großinquisitor. Weswegen haben Sie gemordet?
König.   Ein
   Betrug, der ohne Beispiel ist –
Großinquisitor.   Ich weiß ihn.
König. Was wisset Ihr? Durch wen? Seit wann?
Großinquisitor.   Seit Jahren,
   Was Sie seit Sonnenuntergang.
König (mit Befremdung).   Ihr habt
   Von diesem Menschen schon gewußt?
Großinquisitor.   Sein Leben
   Liegt angefangen und beschlossen in
   Der Santa Casa heiligen Registern.
König. Und er ging frei herum?
Großinquisitor.   Das Seil, an dem
   Er flatterte, war lang, doch unzerreißbar.
König. Er war schon außer meines Reiches Grenzen.   5160
Großinquisitor. Wo er sein mochte, war ich auch.
König (geht unwillig auf und nieder).   Man wußte,
   In wessen Hand ich war – Warum versäumte man,
   Mich zu erinnern?
Großinquisitor.   Diese Frage geb ich
   Zurücke – Warum fragten Sie nicht an,
   Da Sie in dieses Menschen Arm sich warfen?
   Sie kannten ihn! Ein Blick entlarvte Ihnen
   Den Ketzer – Was vermochte Sie, dies Opfer
   Dem heil'gen Amt zu unterschlagen? Spielt
   Man so mit uns? Wenn sich die Majestät
   Zur Hehlerin erniedrigt – hinter unserm Rücken   5170
   Mit unsern schlimmsten Feinden sich versteht,
   Was wird mit uns? Darf einer Gnade finden,
   Mit welchem Rechte wurden Hunderttausend
   Geopfert?
König.   Er ist auch geopfert.
Großinquisitor.   Nein!
   Er ist ermordet – ruhmlos! freventlich! – Das Blut,

Das unsrer Ehre glorreich fließen sollte,
Hat eines Meuchelmörders Hand verspritzt.
Der Mensch war unser – Was befugte *Sie*,
Des Ordens heil'ge Güter anzutasten?
Durch uns zu sterben, war er da. Ihn schenkte   5180
Der Notdurft dieses Zeitenlaufes Gott,
In seines Geistes feierlicher Schändung
Die prahlende Vernunft zur Schau zu führen.
Das war mein überlegter Plan. Nun liegt
Sie hingestreckt, die Arbeit vieler Jahre!
Wir sind bestohlen, und Sie haben nichts
Als blut'ge Hände.

König.   Leidenschaft riß mich
Dahin. Vergib mir.

Großinquisitor.   Leidenschaft! – Antwortet
Mir Philipp der Infant? Bin ich allein
Zum alten Mann geworden? – Leidenschaft!   5190
(Mit unwilligem Kopfschütteln.)
Gib die Gewissen frei in deinen Reichen,
Wenn du in deinen Ketten gehst.

König.   Ich bin
In diesen Dingen noch ein Neuling. Habe
Geduld mit mir.

Großinquisitor.   Nein! Ich bin nicht mit Ihnen
Zufrieden. – Ihren ganzen vorigen
Regentenlauf zu lästern! Wo war damals
Der Philipp, dessen feste Seele wie
Der Angelstern am Himmel unverändert
Und ewig um sich selber treibt? War eine ganze
Vergangenheit versunken hinter Ihnen?   5200
War in dem Augenblick die Welt nicht mehr
Die nämliche, da Sie die Hand ihm boten?
Gift nicht mehr Gift? War zwischen Gut und Übel
Und Wahr und Falsch die Scheidewand gefallen?
Was ist ein Vorsatz? Was Beständigkeit,
Was Männertreue, wenn in einer lauen
Minute eine sechzigjähr'ge Regel
Wie eines Weibes Laune schmilzt?

König. Ich sah in seine Augen – Halte mir
Den Rückfall in die Sterblichkeit zu gut.   5210
Die Welt hat einen Zugang weniger
Zu deinem Herzen. Deine Augen sind erloschen.

Großinquisitor.
  Was sollte Ihnen dieser Mensch? Was konnte
  Er Neues Ihnen vorzuzeigen haben,
  Worauf Sie nicht bereitet waren? Kennen
  Sie Schwärmersinn und Neuerung so wenig?
  Der Weltverbeßrer prahlerische Sprache
  Klang Ihrem Ohr so ungewohnt? Wenn das
  Gebäude Ihrer Überzeugung schon
  Von Worten fällt – mit welcher Stirne, muß   5220
  Ich fragen, schrieben Sie das Bluturteil
  Der hunderttausend schwachen Seelen, die
  Den Holzstoß für nichts Schlimmeres bestiegen?
König. Mich lüstete nach einem Menschen. Diese
  Domingo –
Großinquisitor.
            Wozu Menschen? Menschen sind
  Für Sie nur Zahlen, weiter nichts. Muß ich
  Die Elemente der Monarchenkunst
  Mit meinem grauen Schüler überhören?
  Der Erde Gott verlerne zu bedürfen,
  Was ihm verweigert werden kann – Wenn *Sie*   5230
  Um Mitgefühle wimmern, haben Sie
  Der Welt nicht Ihresgleichen zugestanden?
  Und welche Rechte, möcht' ich wissen, haben
  Sie aufzuweisen über Ihresgleichen?
König *(wirft sich in den Sessel)*.
  Ich bin ein kleiner Mensch, ich fühl's – Du forderst
  Von dem Geschöpf, was nur der Schöpfer leistet.
Großinquisitor.
  Nein, Sire. Mich hintergeht man nicht. Sie sind
  Durchschaut – Uns wollten Sie entfliehen.
  Des Ordens schwere Ketten drückten Sie;
  Sie wollten frei und einzig sein.   5240
            (Er hält inne. Der König schweigt.)
  Wir sind gerochen – Danken Sie der Kirche,
  Die sich begnügt, als Mutter Sie zu strafen.
  Die Wahl, die man Sie blindlings treffen lassen,
  War Ihre Züchtigung. Sie sind belehrt.
  Jetzt kehren Sie zu uns zurück – Stünd' ich
  Nicht jetzt vor Ihnen – beim lebend'gen Gott!
  Sie wären morgen so vor mir gestanden.
König. Nicht diese Sprache! Mäßige dich, Priester!

Ich duld es nicht. Ich kann in diesem Ton
Nicht mit mir sprechen hören.
Großinquisitor.   Warum rufen Sie   5250
Den Schatten Samuels herauf? – Ich gab
Zwei Könige dem span'schen Thron und hoffte,
Ein festgegründet Werk zu hinterlassen.
Verloren seh ich meines Lebens Frucht,
Don Philipp selbst erschüttert mein Gebäude.
Und jetzo, Sire – Wozu bin ich gerufen?
Was soll ich hier? – Ich bin nicht willens, diesen
Besuch zu wiederholen.
König.   Eine Arbeit noch,
Die letzte – dann magst du in Frieden scheiden.
Vorbei sei das Vergangne, Friede sei   5260
Geschlossen zwischen uns – Wir sind versöhnt?
Großinquisitor.
Wenn Philipp sich in Demut beugt.
König *(nach einer Pause)*.   Mein Sohn
Sinnt auf Empörung.
Großinquisitor. Was beschließen Sie?
König. Nichts – oder alles.
Großinquisitor.   Und was heißt hier alles?
König. Ich laß ihn fliehen, wenn ich ihn
Nicht sterben lassen kann.
Großinquisitor.   Nun, Sire?
König. Kannst du mir einen neuen Glauben gründen,
Der eines Kindes blut'gen Mord verteidigt?
Großinquisitor.
Die ewige Gerechtigkeit zu sühnen,
Starb an dem Holze Gottes Sohn.
König.   Du willst   5270
Durch ganz Europa diese Meinung pflanzen?
Großinquisitor.
So weit, als man das Kreuz verehrt.
König.   Ich frevle
An der Natur – auch diese mächt'ge Stimme
Willst du zum Schweigen bringen?
Großinquisitor.   Vor dem Glauben
Gilt keine Stimme der Natur.
König.   Ich lege
Mein Richteramt in deine Hände – Kann
Ich ganz zurücketreten?

G r o ß i n q u i s i t o r.   Geben Sie
   Ihn mir.
K ö n i g.   Es ist mein einz'ger Sohn – Wem hab ich
   Gesammelt?
G r o ß i n q u i s i t o r.   Der Verwesung lieber als
   Der Freiheit.
K ö n i g *(steht auf).*   Wir sind einig. Kommt.
G r o ß i n q u i s i t o r.   Wohin? 5280
K ö n i g. Aus meiner Hand das Opfer zu empfangen.
                    (Er führt ihn hinweg.)

                    Zimmer der Königin.

                    LETZTER AUFTRITT

   Carlos. Die Königin. Zuletzt der König mit Gefolge.

C a r l o s *(in einem Mönchsgewand, eine Maske vor dem
   Gesichte, die er eben jetzt abnimmt, unter dem Arme ein
   bloßes Schwert. Es ist ganz finster. Er nähert sich einer
   Türe, welche geöffnet wird. Die Königin tritt heraus, im
   Nachtkleide, mit einem brennenden Licht. Carlos läßt sich
   vor ihr auf ein Knie nieder).*
   Elisabeth!
K ö n i g i n *(mit stiller Wehmut auf seinem Anblick ver-
   weilend.)* So sehen wir uns wieder!
C a r l o s. *So sehen wir uns wieder!*
                    (Stillschweigen.)
K ö n i g i n *(sucht sich zu fassen).*
                              Stehn Sie auf. Wir wollen
   Einander nicht erweichen, Karl. Nicht durch
   Ohnmächt'ge Tränen will der große Tote
   Gefeiert werden. Tränen mögen fließen
   Für kleinre Leiden! – Er hat sich geopfert
   Für *Sie*! Mit seinem teuren Leben
   Hat er das Ihrige erkauft – Und dieses Blut
   Wär' einem Hirngespinst geflossen? – Carlos!   5290
   Ich selber habe gutgesagt für Sie.
   Auf meine Bürgschaft schied er freudiger
   Von hinnen. Werden Sie zur Lügnerin
   Mich machen?
C a r l o s *(mit Begeisterung).*   Einen Leichenstein will ich

Ihm setzen, wie noch keinem Könige
Geworden – Über seiner Asche blühe
Ein Paradies!
K ö n i g i n.   So hab ich Sie gewollt!
Das war die große Meinung seines Todes!
Mich wählte er zu seines letzten Willens
Vollstreckerin. Ich mahne Sie. Ich werde   5300
Auf die Erfüllung dieses Eides halten.
– Und noch ein anderes Vermächtnis legte
Der Sterbende in meine Hand – Ich gab ihm
Mein Wort – und – warum soll ich es verschweigen?
Er übergab mir seinen Karl – Ich trotze
Dem Schein – Ich will vor Menschen nicht mehr zittern,
Will einmal kühn sein, wie ein Freund. Mein Herz
Soll reden. Tugend nannt' er unsre Liebe?
Ich glaub es ihm und will mein Herz nicht mehr –
C a r l o s. Vollenden Sie nicht, Königin – Ich habe   5310
In einem langen, schweren Traum gelegen.
Ich liebte – jetzt bin ich erwacht. Vergessen
Sie das Vergangne! Hier sind Ihre Briefe
Zurück. Vernichten Sie die meinen. Fürchten
Sie keine Wallung mehr von mir. Es ist
Vorbei. Ein reiner Feuer hat mein Wesen
Geläutert. Meine Leidenschaft wohnt in den Gräbern
Der Toten. Keine sterbliche Begierde
Teilt diesen Busen mehr.
(Nach einem Stillschweigen ihre Hand fassend.)
                                   Ich kam, um Abschied
Zu nehmen – Mutter, endlich seh ich ein,   5320
Es gibt ein höher, wünschenswerter Gut,
Als dich besitzen – Eine kurze Nacht
Hat meiner Jahre trägen Lauf beflügelt,
Frühzeitig mich zum Mann gereift. Ich habe
Für dieses Leben keine Arbeit mehr
Als die Erinnerung an ihn! Vorbei
Sind alle meine Ernten –
(Er nähert sich der Königin, welche das Gesicht verhüllt.)
                                   Sagen Sie
Mir gar nichts, Mutter?
K ö n i g i n.   Kehren Sie sich nicht
An meine Tränen, Karl – Ich kann nicht anders –
Doch glauben Sie mir, ich bewundre Sie.   5330

Carlos. Sie waren unsers Bundes einzige
   Vertraute – Unter *diesem* Namen werden
   Sie auf der ganzen Welt das Teuerste
   Mir bleiben. Meine Freundschaft kann ich Ihnen
   Sowenig, als noch gestern meine Liebe
   Verschenken an ein andres Weib – Doch heilig
   Sei mir die königliche Witwe, führt
   Die Vorsicht mich auf diesen Thron.
(Der König, begleitet vom Großinquisitor und seinen Gran-
den, erscheint im Hintergrunde, ohne bemerkt zu werden.)
                          Jetzt geh ich
   Aus Spanien und sehe meinen Vater
   Nicht wieder – Nie in diesem Leben wieder.   5340
   Ich schätz ihn nicht mehr. Ausgestorben ist
   In meinem Busen die Natur – Sei'n Sie
   Ihm wieder Gattin. Er hat einen Sohn
   Verloren. Treten Sie in Ihre Pflichten
   Zurück – Ich eile, mein bedrängtes Volk
   Zu retten von Tyrannenhand. Madrid
   Sieht nur als König oder nie mich wieder.
   Und jetzt zum letzten Lebewohl! *(Er küßt sie.)*
Königin.   O Karl!
   Was machen Sie aus mir? – Ich darf mich nicht
   Empor zu dieser Männergröße wagen;   5350
   Doch fassen und bewundern kann ich Sie.
Carlos. Bin ich nicht stark, Elisabeth? Ich halte
   In meinen Armen Sie und wanke nicht.
   Von dieser Stelle hätten mich noch gestern
   Des nahen Todes Schrecken nicht gerissen.
   (Er verläßt sie.)
   Das ist vorbei. Jetzt trotz ich jedem Schicksal
   Der Sterblichkeit. Ich hielt Sie in den Armen
   Und wankte nicht. – Still! Hörten Sie nicht etwas?
          (Eine Uhr schlägt.)
Königin. Nichts hör ich als die fürchterliche Glocke,
   Die uns zur Trennung lautet.
Carlos.   Gute Nacht denn, Mutter.
   Aus Gent empfangen Sie den ersten Brief   5361
   Von mir, der das Geheimnis unsers Umgangs
   Laut machen soll. Ich gehe, mit Don Philipp
   Jetzt einen öffentlichen Gang zu tun.
   Von nun an, will ich, sei nichts Heimliches

Mehr unter uns. *Sie* brauchen nicht das Auge
Der Welt zu scheuen – Dies hier sei mein letzter
Betrug.
(Er will nach der Maske greifen. Der König steht zwischen
ihnen.)
K ö n i g.   Es ist dein letzter!
          (Die Königin fällt ohnmächtig nieder.)
C a r l o s *(eilt auf sie zu und empfängt sie mit den Armen).*
                    Ist sie tot?
O Himmel und Erde!
K ö n i g *(kalt und stille zum Großinquisitor).*
                Kardinal! Ich habe
Das Meinige getan. Tun Sie das Ihre. *(Er geht ab.)*   5370

ZUR ENTSTEHUNGSGESCHICHTE VON
SCHILLERS »DON CARLOS«

Der Intendant des Mannheimer Nationaltheaters, Freiherr von Dalberg, machte Schiller im Mai 1782 auf den Stoff des *Don Carlos* aufmerksam. Er sandte ihm die Erzählung des Abbé Saint-Réal (1639–92) *Dom Carlos, nouvelle historique* und bat ihn zu prüfen, ob sich dieser Gegenstand für eine Bühnenbearbeitung eigne.

Nach seiner Übersiedlung auf das Gut der Frau von Wolzogen in Bauerbach 1782 besorgt sich Schiller aus der Meininger Bibliothek dieses Werk des Abbé Saint-Réal und andere Literatur und schreibt am 3. April 1783 an Freiherrn von Dalberg, daß er am *Dom Karlos* arbeite. Von 1784 an veröffentlicht der inzwischen nach Mannheim zurückgekehrte Dichter die einzelnen fertiggestellten Teile des Werkes in seiner Zeitschrift *Rheinische Thalia*.

Zunächst hatte Schiller nur die Absicht, ein »Familiengemälde aus einem königlichen Hause« zu schaffen; aber seine innere Anteilnahme war für eine so kühle Behandlung des Stoffes zu stark. Er schreibt damals an den Meininger Bibliothekar Reinwald, *Dom Karlos* solle von Shakespeares Hamlet die Seele, Blut und Nerven von Leisewitz und den Puls von ihm selbst erhalten. So weitete sich der Stoff während der Arbeit, und aus einem bloßen Familiengemälde wurde die Tragödie der um ihre Gewissensfreiheit ringenden Menschheit.

Am 26. Dezember 1784 durfte Schiller auf Empfehlung der Frau von Kalb den ersten Akt seines Werkes dem in Darmstadt zu Besuch weilenden Herzog Karl August von Weimar vorlesen, der ihm daraufhin den Titel »Weimarischer Rat« verlieh. Wenn diese Ernennung für den Dichter auch seine Beziehungen zum Weimarer Hofe begründete, so bedeutete sie doch noch keine Lebensstellung. Die Jahre 1785 bis 1787 verbrachte Schiller vielmehr als Gast seines Gönners, des Konsistorialrates Körner, in Loschwitz bei Dresden. Dort förderte er den *Don Carlos*, zog sich dann aber am 17. April 1787 nach Tharandt zurück, um die notwendige Ruhe für die Vollendung des Stückes zu gewinnen. Zuerst beendete er eine Prosabearbeitung, die er auf Veranlassung von Theaterleuten begonnen hatte. Ende Mai vollendete er auch die metrische Fassung.

Am 29. August 1787 wurde das Stück in Hamburg unter rauschendem Beifall uraufgeführt und tags darauf wiederholt. Die metrische Fassung wurde 1788 in Mannheim und 1792, 1794 und 1795 in Weimar auf die Bühne gebracht. Im Jahre 1802 studierte das Weimarer Theater das Stück aufs neue ein, nachdem der Dichter umfangreiche Kürzungen vorgenommen hatte.

Als Ganzes erschien *Don Carlos* zuerst im Juni 1787 bei Göschen in Leipzig. Noch zu Schillers Lebzeiten erfolgten viele Neuauflagen. Die Prosabearbeitung wurde erst 1808 in Hamburg durch den Schauspieler Albert veröffentlicht.

Übersetzungen des Werkes erschienen noch vor 1800 in England, Frankreich und Holland, während *Don Carlos* in Spanien wenig Aufnahme fand.